THE GIRNIN GATES

HAMISH MACDONALD

Gilbert MacGlinchy! It's aw your fault!
is whit ma Da ayeways used tae say tae me. Everhin, but everhin, wis ma fault.

Anen it caught lik an unwantit fire. Afore lang evrubdy wis sayin it. Faimly. Mates. Schuilmaisters. Fur a time Ah thought mibby everhin *wis* ma fault, Ah even came tae believe it masel. Aye, but life's a strange auld gemme, an it's funny how hings can someweys turn oot in the end.

Young Gilbert MacGlinchy may have been born with the weight of the world on his shoulders, but he uses his vivid imagination to survive. Through a series of family disasters and narrow escapes, he makes a hilarious and moving journey from Glasgow and Clydebank to the glamour and excitement of the Cannes Film Festival.

The Girnin Gates is written in West Coast Scots by Hamish MacDonald, author of the novel *The Gravy Star*, playwright and poet, and first holder of the Robert Burns Writing Fellowship based in Dumfries and Galloway.

***Double-Heider* is jist that – a twa-heidit book wi twa stories inside it. Turn it tapsalteerie tae read aboot *Loon* by Sheena Blackhall.**

THE GIRNIN GATES

HAMISH MACDONALD

First published 2003
by Itchy Coo

a Black & White Publishing and Dub Busters Partnership
99 Giles Street, Edinburgh EH6 6BZ

ISBN 1 902927 72 9

A CIP catalogue record for this book
is available from The British Library.

Cover design by Freight

Printed and bound by Nørhaven Paperback A/S

1
ENDINS AN BEGINNINS

Gilbert MacGlinchy! It's aw your fault!
is whit ma Da ayeways used tae say tae me. Everhin, but everhin, wis ma fault.

Anen it caught lik an unwantit fire. Afore lang evrubdy wis sayin it. Faimly. Mates. Schuilmaisters. Fur a time Ah thought mibby everhin *wis* ma fault, Ah even came tae believe it masel. Aye, but life's a strange auld gemme, an it's funny how hings can someweys turn oot in the end.

It's amazin ye know. Here Ah'm ur, sittin in the blazin sunshine a thoosan miles frae Garscadden, wunnerin how it aw began. How it aw began an how it'll aw end. Who knows?

But Ah dae know this. Ah'm gonnae sit here an enjoy masel fur noo, an hink aboot ma story, cause see by this time the morra, Ah'll be back oan that plane hame, lookin doon oan ma hoose driftin ablow me as we drap in tae land at Glesga Airport.

Aye, but Ah better no forget aboot Gobbsy. Ah telt um Ah'd send um a letter. Promist um so Ah did. Gobbsy's never seen a foreign stamp afore, sept in a picture in a book. That's the kinna hings the wee man's intae – stamps an matchboaxes an aw that. Wee Gobbsy, man. Him in ees big roon specs an thae boggin herrcuts ees Da gies um wae yon auld razor-comb. Gie's a brek. Yon hing went oot a fashion wae flerred breeks an medallions, aye, a right wheen a years ago. Ee's no dytit or nuhin but, young Gobbsy's no. Jist a wee bit kinna eccentric is aw.

So Ah'm writin um a letter, an stickin in this postkerd wae aw these bronzed near-nuddy folk frolickin oan a sun-split beach, an ther's this happy writin acroass the boatum a the kerd:

Sur la plage au Cannes, Cote D'Azure

whit means – Oan Cannes beach, the Blue Coast.

Dear Spencer,

See the picture? Whit a pure mintit place man! They're aw sailin aboot oan these big cabin cruisers – ye don't see minny a them oan the Nolly at Garscadden! If we ever win the Lottery wu'll come an live here – me, you an Mairead, an emdae else that wants tae come fur that matter! Ah'm really sorry ye couldnae be here mate. Ah jist cannae believe it, Ah really cannae. Here Ah'm ur in the shade ae a palm tree, sittin at a table wae a big freezin gless a skoosh. The waiter, they caw them *garçons*, jist like in thae books in auld Ma MacGuire's French class! – ee goes tae us:

Et monsieur. Qu'est-ce-que vous demandez?

That's French fur "whit dae ye want?" But ee couldnae unnerstaun whit Ah meant when Ah says tae um that Ah wantit a *fizzy-bru!* Anen Ah hud a wee laugh, when Ah remembert that wis jist somehin we hud made up when we wur wee boays at the New Year like, mind? Fizzy-bru's! Goin roon the table an toppin up wur glesses wae limeade an Irn Bru an cream-soda an aw that. Mind ae it? Featherweight Granny playin away oan the joanna, an Two-Ton Granny beltin oot the auld Scottish songs. Man, they wur the days, wee man.

So Ah goes up tae the bar, no kiddin Spencer Ah actually went up tae a bar (ye cannae get liftit fur it here if ye're oor age), an Ah pointit oot aw these French hings fur the garçon tae pour intae ma gless – *Orangina, Sirop de Cassis, Sirop de Menthe* – as lang as it wisnae alcoholic like, for as ye know yersel Spencer Ah don't really drink, specially no since that night in Clydebank when we endit up lyin in the grave. Anen ee asked us if Ah wantit *Citron* in it – an Ah hud a wee laugh at that tae – imaginin um tryin tae get a motorcar intae ma gless. Well, Ah suppose if Ah'd paid merr attention in auld Ma MacGuire's, Ah wid've known fine that *citron*'s French fur lemon.

Anywey Spencer, Ah gets ma fizzy-bru French-style, an sits masel doon ootside. An man, next hing, dis aw these celebrities no come ower an jine us? An Madonna goes tae us:

We're having Vodka Martinis, Gilbert. Wid ye like wan?

Ah telt ur Ah didnae really drink, but Ah didnae say nuhin aboot that night in Clydebank when we endit up lyin in the grave. Some hings are better left unsaid Spencer.

Anen Tam Cruise goes:

Does anybody fancy a dook?

Only ee didnae say *dook* ee said *swim*. An Ah goes:

Aye, awright!

An ee goes:

Okay dude, Ah'll race ye oot tae ma boat an back!

So we peels wur duds aff man, doon tae wur kecks, anen plunged intae the watter. Evrubdy wis laughin. Ah'll tell ye somehin but, Spencer. Tam Cruise might huv been a right gallus punter in *Top Gun* an *Jerry MacGuire* an aw that, but ee widnae last ten seconds ae a good dook in the Duntocher Burn. Ye should've seen um man! A wee splash in the Med an ee looked lik a fresh-plucked chicken turnt blue! We swam oot tae this big boat an ee jumped aboard freezin, but Ah jist turnt roon an startit swimmin back fur the shore, an evrubdy in the café wis cheerin us oan. Man. Ah've swam in caulder watter in the Clydebank Swim-Drome, let alane the auld Dun-toashie Burn.

Needless tae say Spencer wur fillum's been a great success. We didnae win but at least we got nominatit an that's winnin enough fur me. Ah huv tae thank ye, wee man. Ah couldnae huv done it withoot ye, an Ah mean that mate. Ye would be here wae us noo, if only yer Da hud hung aff the wine an scraped up the ferr. Ah'm no kiddin Spencer yer auld man's a pure total bam so ee is. Ah hope ees ears burst listenin tae yon Johnnie Cash CDs, an that ee chokes oan ees Lanliq. Stuff the lot a them. WE'VE DONE SOMEHIN REALLY GREAT. So this is yer letter. Ah'll probly get hame afore it but Ah says Ah'd send wan din't Ah?

Aw the best,
Gilbert.

Spencer Gobbs
24 Pylon Road
Garscadden
Glasgow
G15 1DT
Scotland

So like, Ah wis wunnerin. Wunnerin how it aw began. Wunnerin how a young boay lik me frae G15 gote tae huv a fillum at the famous Cannes Festival. It's then Ah find masel spinnin ma imagination away back, lik a video rewind. Ah play bits back tae masel lik clips frae a movie, piecin it aw thegither. Only it's no jist aboot how Ah made ma fillum, it's bits frae ma life tae, an aw the wee stories an daft hings that've happened in it. Anen Ah edit aw the scenes thegither, so that inside ma heid, ma life becomes jist lik wan big fillum.

Ye see, Ah believe that everhin in yer life is connectit, an that ye could never huv gote tae where ye ur noo, withoot wan wee hing leadin tae the next.

So fur me it aw goes right back tae the very mornin Ah wis boarn – the wee smaw oors a January 11th 1987. The first time when everhin would become ma fault. An yet it widnae begin in Glesga, it widnae even begin in Scotlan. It wid begin wae a dangerous storm brewin – faur, faur oot in the middle a the sea. The night a the Ned Storm.

2
THE NED STORM

The night afore Ah wis boarn wis a daurk winter's night.

Three thoosan mile frae Garscadden, in the hert a the Atlantic Ocean, a mob a clouds hud gethered roon in a circle. They pit thur heids thegither tae plot a terrible mischief. The clouds aw breenged intae wan another, an the draft frae the collision blew doon tae shake the sea. Anen the ned clouds roared wae laughter, when they seen that they were capable a causin this kinna disturbance. An the roars a laughter frae the sky whipped up the waves intae white frothy crowns.

The sea ye see, wis feart frae the angry clouds, an startit runnin afore them, risin up an rushin eastwards, runnin in big rollin waves. Anen the clouds an the win, sensin the fear a the sea, teamed up intae a crazy storm gang, an hurled rain an sleet an bolts a lightnin an chased the sea eastward, roarin an shriekin an lashin.

Atween the shores a Ireland an Kintyre wis a wee trawler, twelve miles oot frae the port a Campbeltoon, night-lights shimmerin gently oan the watter. When the first wave kicked, the men hauled the nets an the skipper startit fur hame. Within minutes they wur bein spun an tossed lik a cork oan the boilin sea. The Ned Storm screamed wae laughter tryin tae dash the trawler oan a reef, anen up ahead it seen the lights a Errshire, an it rammied oan. The sea roared, boakin white waves an debris oantae the sands a Troon – lik a drunk honkin up lager oan a pavement. The Ned Storm rummled inland, pu'in slates frae roofs an hurlin thum intae the streets a Kilmarnock. It wis twinty miles frae Pylon Road.

Who wid live oan Pylon Road? Oor street wis a cul-de-sac.

Frae a generator away doon at Ferry Wharf, giant pylons kerried electricity north a the Clyde. Smack-bang in the middle a oor cul-de-sac wis a great big pylon, wae the hooses built in a circle roon aboot it. Da wid ayeways say that the city planners hud nae thought for the likes ae us. Fur no only did they build a row a hooses aroon a pylon wae a hunner zillion volts a electrickery buzzin ower wur heids, they hud made the hooses frae steel plates intae the bargain.

Ah'm tellin yez – it's a miracle we've no aw been charred bi noo. wis wan ae ma Da's regular sayins. Jist afore midnight on January 10th 1987, the cables high above began tae sway an moan in the risin win.

Back in the evil-eye a the Ned Storm, a daurk plain shuddert faur ablow. Here an ther a wee fermhoose shook, an loose sheets oan byres clanged an coos mooed an dugs barked. The storm hissed through a plantation a firs anen came tae a ridge. As it swooped ower the ridge it seen a million orange streetlights bleezin lik coals, an it cherged doon oan Glesga lik a dementit mad army frae Hell. Alang streets, up closes, through back-coorts, doon chimleys, acroass perks an atween high-flats.

Maw wis fair dementit an Da wisnae much better, fur jist afore midnight ur birth contractions hud startit. They wur baith ben the livin-roon an Da wis goin:

Noo mind the breathin, Merry. Mind whit they telt us at thae maternity classes.

An Maw's goin:

Wid ye shut yer daft geggie Erchie MacGlinchy an jist gie's a haun tae get ma bag packed fur the hoaspital. Aw Erchie, Erchie, Ah'm no faur awey noo, Ah hink wur wee baby's comin.

Da goes:

Ah'm gey worried aboot that storm oot ther. Wid ye listen tae it? It's blawin up a right hoolie.

Jist at that the hoose lights flickert an died. A gust shot acroass Knightswid an panned in the back-kitchen windae wae pure force.

Oh my God!

goes ma Maw. It blastit open the livin-room door an blew the framed photie a Two-Ton Granny right aff the tap ae the telly. Aye, yon must've been some win right enough, tae blaw doon Two-Ton Granny.

An the err wis filled wae this terrible, terrible moanin. The roar a the win aye, but worse than yon wis the sound ae it howlin through the electricity cables, an whippin an lashin thum, an whistlin an screamin through the pylon, an dirrin the strings a bad wire webbed aroon the pylon ten feet up tae stoap emdae climbin oan it. Anen frae oot in the street, Maw n Da heard a voice shoutin wae aw its might:

Fur God's sake somedae dae somehin! Afore the hale caboodle comes crashin doon an blooters the lot ae us! Ah've no gote a phone! Gonnae somedae phone the polis or somehin?

An this other voice goes:

It's awright ther Peter! Don't worry China, Ah've gied thum a phone! Ther's a buildin collapsed intae the road at Anniesland Croass – but ther tryin tae get somehin through!

Noo mind you the breathin, goes ma Da tae ma Maw, a*n Ah'll get oan the dug-an-bone an call an ambulance.*

But the dug-an-bone wis pan-breid, an ee hud nae caur an ee didnae know whit tae dae. Anen Mrs McShane (who hud a dug cried Shane) came ben the hoose an she telt thum she'd heard oan ur tranny ther wis a rescue oan its wey. So ma Da went an gote wee Mairead frae ur cot. She wis only two year auld at the time an ee happed ur up in a blanky. Anen the four a thum, ma Maw n ma Da n ma sister n Mrs McShane Wae The Dug Cried Shane aw cooried thegither oan the settee, listenin tae the roarin blast an waitin fur the rescue.

Three miles away, oan the tap a Clydebank Toon Haw, wis a six-fit gold-paintit statue ae an angel. It perched up oan tip-toe high oan the clock-tower dome, wings ootstretched an haudin a bow an an arra.

As the night-shift gaffer in the UIE oilrig yerd wis declarin the joab unsafe, an men wur doonin tools tae take shelter in bothies an cabins, the ned winds that hud startit the rammy oot in the Atlantic teamed up again oan tap a the Toon Haw. They laughed an sneered at the figure a the angel, an grabbed ontae um, an rocked um an shook um till the poor wee cherub wis quiverin wae fear, an lookin doon wae dread at the black hard tarmac a Dumbarton Road a hunner n fifty feet ablow.

Oan Pylon Road an orange Corpie bus wis bein escortit in bi a polis car wae blue flashin lights. The win wis roarin even louder noo, the cables howlin, car alarms singin, an the polis wis escortin evrubdy oantae the bus. Mrs McShane kerried wee Mairead in an gote a seat, while Maw held oantae Da oot in the street. He wis tryin tae get the polis's attention, but the polis wis goin:

Oan the bus! Evrubdy oan tae the bus!

An Da wis roarin at the polis:

We've gote tae get tae the Queen Mur Hoaspital pronto mate! It's an emergency! Ma wife's aboot tae pop a wean any minute!

An the polis shoutit:

Don't you mate me mate! Noo get oan that bus an dae whit ye're telt!

An Da goes:

You mind yer lip ya big ganglin eejit! Ur ye deef ur somehin? Ma wife's gonnae huv a wean!

An the polis goes:

Any merr a your chaff an ye're liftit! If she's gonnae huv a wean she'll need tae huv it oan the bus! Noo get oan!

An Da goes:

Look it ye, ye're nuhin but a big plooky tube! A polis cadet! Haurdly five minutes oot a schuil an tellin me whit tae dae! Look at the state a that moustache! It's a wunner the win husnae blawn it aff! Ah've seen merr herr oan a bowlin baw!

Anen the polisman gote Da in a grip, an Maw's goin:

Erchie! Erchie! Fur God's sake! Wid ye jist get oan that bus!

Anen the polisman startit sneerin an let Da go an goes:

Aye, jist get oan the bus lik yer missus telt ye eh?

Ee goes tae ma Maw:

Hauf the roads in Glesga ur blocked wae fawin masonry hen. They're gonnae hurl yez doon tae Clydebank Toon Haw oan the bus. That's the best Ah kin dae.

An Maw goes tae the polis:

Huv ye gote any weans yersel son?

An the polis goes:

Naw.

An Maw goes:

Aye an it bluidywell shows so it diz ya big plamph ye. Noo git oan that bus Erchie, evrubdy else in the street hus gote oan.

Anen Da helped Maw oan an the bus set aff. Oantae the Voulevard, doon Kelso Street an alang Glesga Road. Somewher atween the Cawdor Vaults pub an Yoker Athletic fitba grun the Ned Storm wis peltin the side a the bus wae bins an slates, an wee-wee me, swimmin inside ma Maw's tum-tum, no quite boarn yet, wis kickin an birlin an goin:

Heh! Ah want oot! Ah'm fed up in here! Gonnae somedae let us oot?!

3
THE NUN WHO DECIDED TAE INTERVENE

Bi two in the mornin Clydebank Toon Haw wis fillt up wae evacuees. Da gote a haud a some blankets an hud laid thum doon fur Maw. Ah hud decidit ma time wis right, an that Ah wantit oot frae the womb at last. So Ah startit burrowin ootwards lik a wee mole, an Da shoutit:

Help! My wife's watters huv broke! She's gonnae huv a wean! Help!

Anen evrubdy crowdit roon, but there wis nae nurses nur doactors nur nuhin, ther wis jist a nun. The nun decided tae intervene.

She breenged in an held Maw's haun an goes in a tuneful Irish twang:

What is your name, dear?

Merry MacGlinchy!

Well, Merry MacGlinchy, I'm Sister Josephine and everything's going to be just fine. I will pray to God and everything will be fine.

Anen Maw startit haein me. She's greetin wae the pain, an Da's haudin ur haun, an the crowd partit back a good six feet, an sister Josephine wis staunin ther prayin tae God, anen some bigot balloon frae oor street cawed Scobie interruptit an goes in ees big daft voice:

Heh! Stoap! Stoap! Somedae stoap that nun prayin! The MacGlinchies ur Prodissants! If thon wean comes oot while the nun's prayin it'll be boarn a Cafflick!

Anen Da goes:

Ach shut yer stupit pus Scobie! Whit's it tae you? Ye spend that much ae yer time in a bookie's ur a boozer's ye widnae know the inside ae a church frae a flyin-saucer!

Well, ma Da might well huv ees faults, but never hus ee hud any time fur stupit religious bigots. An ee goes tae Sister Josephine:

Keep prayin Sister! At least until the wean's heid appears, anen ma wife'll manage fine bi ursel.

Sister Josephine stood an prayed hard. Maw gied a big push an Da went tae guddle me oot. The nun stepped forward tae help. Ah drew in ma first breath tae take a scream. Yes! Ah wis boarn!

Anen the wins ripped the angel frae its base. Bronze wings provin useless, it toppled doon a hunner feet frae the clock-tower dome an crashed right through the roof a the haw. It landit oan the flerr wae a mighty bang, landin exackly oan the spot wher Sister Josephine hud been staunin prayin jist a few seconds afore. Oh man. Whit a miracle.

Anen it booneed up oan the sprung dance-flerr a the haw. It landed oan its tip-toes an pirhouetted, shot ten fit intae the err. It burled roon, anen drapped an cloacked Sister Josephine right oan the side a the napper. Aye. It wis a miracle awright. A miracle she wisnae splattered. Six months in the Western wae a fractured skull. It's no exackly lucky-white-heather Ah know, but hud Sister Josephine no stepped forward at that very moment, she wid've gote pulverised tae burger-meat bi yon angel.

An that wis the night Ah wis boarn. But little difference wid that smaw mercy make tae me, the new arrival. A new-boarn wean, a fallen angel, an a comatose nun. Hauf a Clydeside blootert bi the Ned Storm. Ah suppose frae that moment oan, it wis gonnae be in the script that everhin wis ma fault.

4
MA FAIMLY, MA WURLD, MA FAULT

Gilbert MacGlinchy! It's aw your fault!

Ma furst memory. Da wis sittin at the table. Ablow um oan the flerr wis a few broken shards a crockery, an a platefu a baked beans lyin steamin oan the linoleum. Ah don't remember whit happened.

Mibby Ah hud reached up ma wee haun an toppelt ees dinner frae the table, ur mibby Ah hud distractit um wae ma whiney wee-wean voice, wantin attention, an ee hud elbowed the beans aff the table issel. But yon wis the first words Ah kin ever mind ma Da sayin tae me, an the first sight Ah kin ever mind a seein. Ma early childhood memories are jist a string a wee misfortunes. Bikes wae buckelt wheels. Crashed bogies. Pogo-sticks that widnae boonce any merr. Golf baws in the burn at the pitch-an-putt, fishin tackle loast in the Nolly. Burst baws stuck up in the bad wire oan the pylon. A blagged scooter.

Ye're a jinx.

ma Da wid go, anen:

Dae ye hink ten pound notes grow oan that hedge oot ther?

Sometimes Mairead wid take the blame, but it didnae seem tae make any difference. An Ah wis tae learn, that soon efter Ah wis boarn, things wid git worse than the toppelt statue an the nun wae the six-month heidache. Faur worse.

Aye, it wis an ill-win that blew yon Ned Storm in frae the Atlantic right enough, an no jist in Glesga, fur hauf a Scotlan an Inglan gote blootert an aw. Ye see, ma Da wis workin fur an engineerin firm doon oan South Street, an a'though ther wis nae permanent damage tae any a the buildins doon ther, it turnt oot that the main investors an shareholders in ees company – that's the wans wae aw the money tucked intae it – wur actually some big insurance corporation frae America. An it turnt oot that this insurance corporation wis liable fur payments frae storm damage, an that folk an businesses evrywher were claimin thum fur millions. So the insurance corporation peyed oot the claims, but they hud tae sell aff loads a thur assets tae save thursels goin belly-up, an so Da's work gote the chop.

Ah don't hink Da could haunle it this time. It seemed tae um lik evry time ee gote up oan ees feet, an gote issel in a steady joab, somehin wid come alang an blooter um again. An as Ah wis tae fun oot, ees haill history wis lik that.

Whin ee wis a boay ee hud left schuil in Clydebank, an gote issel a four-year apprenticeship doon at Weir's a Yoker bi the Clyde. But jist two year intae ees apprenticeship the high-heidyins decidit tae shut the place doon. It wis haurd fur um tae unnerstaun, cause aw the folk ee hud worked wae, even the aulfillas wae the bunnets, hud been ther frae the day they'd left schuil. But that wis life an ye jist hud tae get oan wae it, an ee gote issel a joab in the Goodyear tyre factory alang the Voulevard. A year later it shut doon. Anen ee went tae Singer's in Clydebank, an lastit six months. Singer's wis a great big place wae lots a different buildins, an the day ee picked up ees last wage they wur a'ready bulldozin the buildin next door. Wan joab follaed the next, an in atween joabs ee signed oan at Kilbowie Road buroo. Ee lived at hame wae ees brurs an sisters an ees Maw, that's Two-Ton Granny tae me.

Anen ma Da met ma Maw – Merry Andrews – Garscadden lass an daughter a Featherweight Granny. They merrit an gote a Corpie hoose oan Pylon Road anen Mairead wis boarn. Da gote the joab doon South Street an him n Maw saved evry penny they could. Anen the Ned Storm, Da's redundancy. An me.

Noo, Ah couldnae tell ye whether joabs wur easy ur hard tae come by in thae days, fur Ah wis only a wee boay. Aw Ah knew wis that ma Da wisnae workin, an that ee hudnae done a haun's turn frae jist efter Ah wis boarn. Ee wis ayeways doomed-up, whit ye'd cry a pessimist, an everhin wis:

Gilbert. It's aw your fault.

Man wis Ah glad a ma pal Gobbsy. Sometimes ma Maw wid stick up fur mi, bit sometimes she wid blame mi an aw. Mairead wis ma sister an wis ayeways a good pal, but she wis a lassie, an Ah wis a boay. Gobbsy's hoose wisnae faur awey, unner the pylon an aw.

Gobbsy's auld man hudnae worked in years either, an spent ees days sookin oot a Lanliq boattles an washin thum doon wae boattles a Guinness. Ee wis ayeways playin Johnnie Cash CDs, an when ee gote well-iled ee wid play auld scratched Irish Republican records an roar an howl lik an eejit. But maistly that wis fur the benefit a Scobie at Number 27, a'though Scobie hud a giant hearin-aid stuck in ees left lug, an so when Mr Gobbs played ees Fenian records ee wid jist turn the hearin-aid away doon so's ee couldnae hear thum, an huv a wee chuckle tae issel. Scobie hud a gilt-framed portrait a King Billy hingin above ees mantelpiece, an ee hud a wee blue budgie in a cage. Ee hud taught the budgie tae sit oan its perch an go *Rangers* an *Eff The Pope.* If it done it when emdae wis in the hoose, specially if ee suspectit they wur Celtic, Scobie's face wid pump up aw rid an ees cheeks wid bulge oot, tryin no tae laugh, anen when they left ees hoose they wid hear um howlin an hootin tae issel, aw the wey doon the street. An ee hud this stupit laugh that went:

Nyech! Nyech! Nyech! Nyech! Nyech!

Him an Gobbsy's Da were a great match fur wan another, rivals, fur the prize a bein the stupitest galoot oan the face a God's Urth. As fur Gobbsy's Da, ee'd never been near Ireland in ees life, an ees haill concept a Irish politics revolved aroon a visit tae Parkheid stadium aboot wanst evry three year, an mibby buyin a Celtic skerf ur a badge wae a Republican slogan oan it. Some folk thote Mrs Gobbs hud baled oot years ago, an that wee Gobbsy wis motherless, but Ah fur wan knew that in actual fact she wis no well in hoaspital, sufferin frae acute depression an steyin up in Gartnavel Royal. Mibby ye hud tae huv a bit a sympathy wae Mr Gobbs fur bein a numpty efter aw, seein as ee suffered hard times.

An Mr Gobbs hud this bampot theory, an sometimes ee wid sherr it wae ma Da, an ma Da began tae agree wae um, an so did wan ur two other folk in the street. Ye see, as faur as Gobbsy's Da wis concerned, a lot a folk hud chynged when they came tae live oan Pylon Road. They hud chynged, ee claimed, in attitude an behaviour. Wanst, whin ee wis hauf-sober, ee'd hud a serious discussion wae ma Da aw aboot how Mrs Gobbs hud began tae get symptoms a depressive illness no long efter flittin tae the street, an livin unner the shadda a the pylon. Ee said ee thote it wis somehin tae dae wae aw thae zillions a volts a electrickery buzzin ower wur heids, day in, day oot.

Anen when folk roon aboot gote fed up ur stressed wae life, they wid often wunner if it wis somehow a'cause a the pylon, an aw the electrickery hummin above us in the err, an often ma Da wunnert tae. Gobbsy's Da let oan ee hud been tryin tae rattle the power company fur compensation fur years, but that it hud gote merr difficult wae the passin o time, as the leccy supplies passed ownership frae wan board ur company tae the next. Ee explained that meant ye hud a new set a lawyers (ur liars as he cried thum!) tae deal wae each time the ownership chynged hauns. Aye, Gobbsy's Da wis a maddie right enough, but ye couldnae prove um right ur wrang oan that wan. Ee kep two firrits in a hutch ahint the hoose, an ee sometimes went firritin awey oot bi the Stockiemuir.

5
THE GIRNIN GATES

Evrubdy loves the movies, an naebdy loves thum mair than me. Even Gobbsy's Da, fur aw the mad ragin biscuit that ee is, hud the good taste tae name ees only son efter the greatest screen actor a aw time, Spencer Tracy, who wis magnificent in *Boys Toon, Bad Day at Black Rock* an *The Auld Man an The Sea,* amang many others.

See Gobbsy? See me? We're a team. Through thick an thin that's us. Ah mind yon night a the fog – if Ah live tae a hunner Ah'll never forget it. It wis December, pure pea-broth, a right daurk foggy night.

Da hud gied us a note wae some messages tae get frae the icey.

Ten Regal
Fry's Cream
Boattle a Garvies Rid Kola

Ee hud jist missed the icey in oor street an telt us if we gote wur skates oan we'd catch it in Morraine Avenue. We could hear the chimes a the icey, playin the theme tune frae the fillum *The Third Man.* Ah'd seen it wan Sunday night oan the telly – it wis this thriller set in Vienna starrin Orson Welles. We ran intae Morraine Avenue, jist in time tae see the icey hurlin roon the corner an up taewards Blairdardie Road. We ran efter it again, hinkin we'd catch it when it stoapt at Monkton Drive. Monkton wis a ferr pad, but we knew frae experience that ye ayeways gote a big queue at the icey roon ther, ther ayeways seemed tae be loads a folk wae emty ginger boattles an wantin exotic hings lik Mintolas an double-nougats an oysters. We wur pechin so we slowed doon a wee bit, but en we heard the chimes an we startit intae a trot again. Wid ye believe it? Jist as we gote tae Monkton we seen the icey shootin past us goin the other wey, disappearin intae the fog, back oantae Blairdardie Road, headin aff up the brae taewards Drumchapel. Unner the railway brig an ower The Border. Up intae the Drum.

We startit efter it but we stoaped deid when we gote tae The Border. Ma Da hud ayeways warned us aboot steyin away frae the Drum, as faur as he wis concerned it wis strictly oot a limits.

You stey awey frae ther, ee wid say. *Thers a lote a neds an junkies up ther. If they caught a boay lik you they'd jump oan tap a ye an stick syringes intae ye. Anen they'd cut ye up an eat ye. So keep awey, d'ye hear?*

But Ah suspectit that ma Da wis makin this up, probly jist tae scare us oot a wanderin up ther an gettin loast, fur mair than wanst Ah'd overheard um sayin that the Drum wis full a daicent folk, an that it wis jist a few vagabonds that'd gied the haill place a bad name. An sometimes, if Ah heard ma Da rattlin oan aboot the Drum bein full a nutters, Ah thote that mibby this wis a case a the auld pot cawin the kettle black. Ah mean. Mibby Pylon Road wisnae the worst place in the wurld, but it wisnae exackly Hollywood Voulevard either. Still. Ah wis terrified frae crossin The Border.

The pea-broth fog hud thickened, swurlin lik somedae hud stirred it wae a giant invisible spoon, pourin lik smoke oot the mooth a the tunnel wher the road ran unner the railway. We stood fur a wee minute. Ye wid hear a caur hurlin doon the brae, then jist afore it reached ye, a halo a light wid come burstin through. Ye wid see the caur fur jist a second ur two afore it droned intae the fog, lik disappearin behind a curtain. The wee man's glesses wur steamed up, wae wee rivulets tricklin doon the lenses. We hud a confab, an decidit that it wid be safe tae go ower The Border, seein as naebdy wid be able tae see us, an that we'd follae the icey chimes until we fun it then get the messages an hame. We heard *The Third Man* tune again, an made a runny up taewards it.

The Third Man. Yon wis an appropriate tune right enough. The maist famous scene in that fillum is when wan bloke's follaein another bloke through the sewers unner Vienna, an every time ee catches a wee glimpse ae um ee disappears. An that's whit kep happenin wae us an the icey, noo ye see it noo ye don't, an we fun wursels risin higher an higher up the brae intae the hert a the Drum.

Anen we heard another icey chime, this time hit wis playin *Anchors Aweigh.* We made a breenge through a close an up a street, but we couldnae see it anywher. We follaed *Anchors Aweigh* fur another three blasts, but each wan wis gettin further an further away. Anen we heard *Greensleeves,* bit we didnae even bother follaein hit, cause we knew that wis the tune played bi the *Mister Saftie* icey, an it only sellt mingin ice cream oot ae a machine, an a couple a different cans a juice. Nae Garvies nur fags nur choaclit nur nuhin.

We tramped oan, anen aw ae a sudden we seen the maist amazin sight. We must've climbed hunners a feet, cause noo we wur right up above the fog, an we could see it lyin in a great blanket fur miles alang the Clyde valley ablow us. Here an ther, rows a streetlights cam ghostin oot frae it, an shone brightly afore stoapin suddenly at the daurk roads an fields wher the Drum endit an the country began. Oan the taps a high flats in the toon faur ablow, rid blinkin lights keeked oot o the mist, warnins fur low-flyin aircraft, an no faur doon frae us the black gable-ends a four-story tenements loomed lik phantoms.

The street we wur walkin alang hud overgrown hedges, an at the coarner wis the remains ae a fence that wanst hud a row a hawthoarn sticks, an aw that wis left wis a few posts an some twistit wire. Ah seen that wan haill side a this street hud been condemned, an that the windaes an close mooths hud steel shutters, an hauf the roof ae a buildin hud collapsed frae a fire. The other side ae the street wis occupied, wae lit windaes an dugs at close mooths an hunners a satellite dishes alang the waws. We heard yellin an bangin, an jist doon the road we seen twinty weans usin a burnt-oot caur as a trampoline. They aw stoaped an looked et us as we walked past, an we could see sets o eyes keekin oot frae the inside a the caur, lik wee beasties in a cave. We jist kep walkin. The furst stane landit jist tae the side a ma fit, anen a bit a wid landit jist ahint us.

It wis lik the start ae a rain-storm, when ye hear wan ur two spots a rain hittin the pavement, jist afore it starts dingin it. Next hing me an Gobbsy ur runnin, an ther's this doonpour a stanes an durt an sticks landin aw aroon us. We ran clear a the shower then stoaped tae look roon. We could see a gang a bigger yins getherin at the corner, comin tae jine in, the wee yins swarmin roon thum. A cry went up:

Glennie Young Team!

Me an Gobbsy looked at wan another, anen Ah gasped:

Leg it wee man! Leg it!

We ran lik the win, but they didnae bother follaein us, an we could hear ther stupit laughin an shoutin gettin fainter. But we kep in a trot, till we came tae wher the hooses stoaped, an ther wis a lang straight stretch a road headin tae the distance, an we walked oan fur a bit.

The fog startit closin in again. Rollin taewards us acroass the fields. The toaps a hawthoarn trees reached oot lik the errums an claws a witches dancin roon a bilin cauldron. In the middle a naewher, we came tae a giant set a gateposts haudin up these ancient auld rusty gates. It wis the weirdest hing ye ever seen.

The sandstone gateposts wur ginormous, the gates held shut wae a big chain. An yet ther wur nae waws oan either side. Nae road leadin frae it, an nae hoose ahint it. Only a bit a wasteland. We stood an gawped et it, cause we'd never seen anyhin like it. Oan each gatepost wis a gargoyle's heid, carved intae the stane, leerin oot wae a weird glint. Everhin wis coatit wae silverry droplets frae the fog, an the droplets seemed tae huv collectit aroon the eyes o the gargoyles, an fur aw the wurld, it looked lik tears wur runnin doon ther cheeks. Gobbsy goes:

Ther's the girnin gates.

We kep goin. Efter aboot a quarter ae a mile the streetlights startit again, but the fog kep gettin wurst an wurst. Ther wis hooses alang the road again, but this wis hooses we'd never seen the likes ae in wur puff.

Mibby evry hunner yards we'd come tae a hoose. It wid be at the end ae a big gravel drive leadin doon aff the road, sometimes wae a line o auld lamp-posts lik somehin frae Victorian times. They hud gerdens, but it wisnae some wee patch a gerden lik ye gote oan Pylon Road – each wan wis lik the Botanics up in Glesga, wae big greenhooses an lawns an giant trees. An sometimes ye'd see two ur mibby only wan caur in the drive, an mibby only wan light oan, an Ah realised then that mibby only wan faimly, ur even wan couple, or mibby even jist *wan person*, wis livin in some a these gigantic mansions. We kep wur eyes oan a big mossy waw that ran alangside the road, lookin fur a sign that wid tell us wher we wur, anen we saw wan that said:

Pendicle Road

Anen me an the wee man hud a laugh, sayin that mibby we'd follaed the magic icey chimes aw the way intae some secret kingdom cawed *Pendicle*. We kep the legend gaun, an in the legend me an Gobbsy became the two knights frae *The Daurk City*. Wur Regal King – because ee smoked Regals – hud sent us oan a quest tae find the key that wid open the *Girnin Gates At the End o the Toon*, an when the gates gote opened they wid let the light in an drive oot the fulthy smog, an the people frae the Daurk City wid become happy again fur a thoosan year. So we hud follaed the magic chimes ower The Border intae

Drumland, an hud thote wiser than tae dare draw wur swords against the evil Dwarf Army a the Glen, but luckily we hud ran away in the right direction, gettin chased taewards the lands a Pendicle. Noo we wid probly remain here fur aboot a hunner year, but we widnae age, an we wid fight aw these battles an solve aw these riddles until we won the Golden Key. The King a Pendicle wid gie us a burd each tae take hame oan wur hoarses – Ah wantit mines tae look lik Cameron Diaz an Gobbsy wantit his tae look lik Jordan. Whit a hoot man. Gobbsy an Jordan? She wid knock um doon lik a skittle wae ur giant bazookas. Anen we'd gallop back tae The Daurk City.

When we gote back tae The Daurk City folk wid go:

Wher is it? Wher's the Golden Key?

An we'd go:

It's right under yer noses!

An they'd aw go:

Whit dae ye mean?

An we'd go:

Efter a hunner years a battlin an gettin wisdom, whit did we learn? We learnt that the Golden Key is jist somehin that's in evrubdy's herts, no a real key at aw, but jist somehin ye huv tae believe in. Noo, yez huv tae aw go tae the Girnin Gates At the End a the Toon, an if yez shove haurd enough, an if yez believe haurd enough, then the gates'll open fur ye. An the gates wullnae be girnin any merr – thu'll start laughin!

So evrubdy wid breenge tae The Girnin Gates. They'd shove an shove till the gates swung open an the light wid blast aw the smog away, an the gates wid start laughin, an The Laughin Gates wid echo fur miles aroon, an evrubdy wid perty an laugh fur a thoosan year. An naebdy wid age, an neither wid me nur Gobbsy nur wur beautiful wummen.

Ya dancin berr! Me an wee Gobbsy man, swinging frae Jordan's giant bazookas lik a perr a dementit bellringers!

Ding Dong! Way haaaaay!

6
MILNGAVIE

The fog kep gettin wurst an wurst. At last we came tae the end a Pendicle Road, tae wher a busy road ran right an left. We couldnae agree which wey wid take us back in the direction a Garscadden so we tossed a coin. Heids fur right, tails fur left.

Tails.

We stuck tae the main road, but somehow we loast it again, an fun wursels walkin ower a brae wae mansions surroundin a wee loch. Somewher in the middle ae it we could hear ducks goin *quack quack quack* an it soundit lik Scobie laughin when ees budgie went *Rangers* ur *Eff The Pope.*

We heard traffic again as we descendit the brae oan the other side, anen we came tae a wide, busy road an did heids ur tails again. Heids this time, an we turnt tae wur right. Then efter a bit we saw it, an couldnae believe wur luck. The fog partit fur a wee minute, an we kinna sensed a silence frae doon ablow us. We looked ower a waw an seen that we wur crossin a railway track. At wan side a the brig wis a sign:

Strathclyde Transport
Hillfoot Station

At the other side a light glimmered oot intae the street:

Hillfoot Café

The warrum sweet smell a the café wis magic. Behind the coonter, jaurs a sweeties rose tae the ceilin, hings lik pineapple cubes an black n white striped baws, cinnamon baws an liquorice comfits, an ther wis a shelf in the middle wae quality chow lik York Fruits an Dairy Box an aw that. Gobbsy goes tae the wummin:

Wher ur we missees?

Efter seein aw thae mansions an poash motors, Ah thote the wummin wis gonnae talk aw bool-moothed lik the Queen ur somehin, but she jist goes:

Whit dae ye mean – wher ur we missees? Huv yez jist landit oot a space-ship ur somehin?

An Gobbsy goes:

Naw missees, fur your information we huvnae. But Ah hink wuv gote loast in the fog an we huvnae a scooby wher we ur man.

So the wummin goes:

Aye. Well for your information ye're in Mullguy.

Mullguy! Ah suddenly mindit a wee sayin that ma Da wanst came oot wae. Hit wis a wee rhyme aboot how Mullguy wis pronounced Mullguy, but wis actually spelt M-I-L-N-G-A-V-I-E :

Yet I have heard that in Mullguy
The folks are quite reserved and shy
And every mansion has a slavey
That's taught tae cry the place 'Milngavie'.

Ah hud a wee chuckle an goes:

Mullguy? Heh missees. Is that anywher near MILL-IN-GAYVEE?

She goes:

It's aboot as near tae it as a smack in yer chops. Noo ur yez wantin anyhin ur whit?

An Gobbsy goes:

Cool the beans missees. Gonnae gie's Ten Regal, a Fry's Crea … Nae way!

She goes:

Nae way! Youze ur too young fur buyin fags!

An Gobbsy goes:

Ther no fur us missees. Ees gote a note frae ees Da man.

So Ah haundit ur the note, an she goes:

Right. Ur yez tellin mi the truth – this is fur yer Da?

An Ah goes:

Honest missees swer 'ae God. Me n him ur non-smokers, cannae staun it it's pure bowfin.

She pit the ten Regal an the Fry's Cream oan the coonter then went tae get the ginger, an Gobbsy goes:

Heh missees! Ah bet ye've no gote any Garvies ginger! Ye kin only get it roon oor bit, ye cannae even get it in Anniesland man, it's Barrs up ther!

An the wummin laughed an goes:

Dae they no teach youze anyhin at schuil? Garvies juiceworks is jist up the road frae here, oan the banks a the Allander Burn!

She haundit us ower a boattle a rid kola an pintit tae the label an goes:

Whit dis that say?

An it said:

Garvies of Milngavie

An we goes:

Heh missees, kin ye get a train back tae Glesga frae here?

She goes:

Aye an yez better hoof it – the last wan's due any minute oan that platform ower ther.

She haundit us the messages in a kerry-bag. We cam oot the café anen crossed the road an seen a blue flash frae the overheid cables as the train wis rollin intae the station an we ran fur it. We hid ahint the shelter as it pullt alang the platform tae see whit carriage the clickie wis in, seein as we'd spent aw the money an couldnae afford a ticket, anen ran doon the front an ducked doon unner the front seat. The doors banged shut an the train startit.

Efter a wee while it stoaped an we keeked up an seen a sign wae **Bearsden** oan it anen ducked doon again. The next wan said **Westerton** an we baled oot. Hit wis only a twinty-minute walk doon the Nolly Bank tae Pylon Road. Aw that fur ten Regal, a Fry's Cream an a boattle a ginger, but Ah thote Da wid be right chuffed that Ah'd managed tae get thum. As Ah walked through the door the back a ees haun skelped me oan the side a the napper an sent us fleein doon the loaby.

Wher the hell huv you been? It's eleven a cloack et night!

Ah goes:

Da, Da, Ah went oot tae get yer fags an Maw's choaclit an ginger. Me an Spencer. We kep missin the icey an we endit up in Mullguy but we fun a shoap. Look Da! Ah gote the messages!

Mullguy?! ee goes. *Ur you tryin 'ae wind me up? Ur ye? Ur ye?*

Naw! Ah goes. *Gen up Da! We went tae Mullguy fur the messages.*

Ah haundit um the kerry bag an ee wis aboot tae clout us fur spinnin porkies, anen ee seen the bag hud **Hillfoot Café** oan it.

GILBERT! ee goes. *Whit ur you like? You pure dae ma nut so ye dae! Ah send ye oot tae the icey fur messages an ye turn it intae Scott's expedition tae the flamin Antarctic! An me an yer maw wis gonnae watch ER, an she wis gonnae huv ur choaclit an ginger, an Ah wis gonnae huv a fag, an we endit up missin it cause we wur pacin up an doon in here worried sick aboot wher ye wur. An we forgot aw aboot the telly programme an missed the haill bloody lot! Thanks a daud son, thanks a daud! We've hud a terrible night, a total scunner, AN IT'S AW YOUR FAULT!*

Ah went tae ma scratcher an pullt ma pilla ower ma heid. Ah pullt ma pilla ower ma heid so that Ah couldnae hear the electric cables fizzin in the dampness up ther in the fog. Ah hate yon noise, it gies mi the heeby-jeebies.

An Ah pullt ma pilla ower ma heid tae try an stoap the noise inside ma heid, thae terrible wurds, echoin roon an roon.

IT'S AW YOUR FAULT ... *IT'S AW YOUR FAULT* ... ***IT'S AW YOUR FAULT*** ... *IT'S AW YOUR FAULT* ... ***IT'S AW YOUR FAULT*** ... *IT'S AW YOUR FAULT* ... ***AW YOUR FAULT*** ... *aw your fault* ... ***aw your fault*** ... *aw your fault* ... ***IT'S AW YOUR FAULT*** ...

7
BLOOTER BANJO WALLOP

Aye, an fur a time Ah actually came tae believe thae wurds, an Ah wid blame masel for aw sorts a stupit hings. Somehin the sports pages – commentin aboot some fitba player ur snooker player that hud lost form – wid mibby cry a *crisis a confidence*. Ye see, Ah really did believe it. Like, say we wur playin fitba up in the high parks, an somedae wid blooter the baw away fur a goalmouth clearance, an the baw wid run miles away doon the hill. Well, even if Ah'd been naewhere near it an Ah'd been away doon the other end a the park, Ah'd go:

Sorry boays, that wis ma fault, Ah'll get it!

Anen Ah'd run away doon the hill fur the baw. Ur say ther wis a line ae us staunin fishin in the Nolly, an somedae fifty yards alang the bank gote snagged an lost ther tackle Ah'd hink:

See if Ah wisnae staunin here oan this spot? That guy wid've moved up the bank a wee daud an fished a different bit, an probly widnae huv gote snagged an loast ees gear. That wis ma fault.

But ma condition wid get wurst afore it gote better. Much wurst. Guys at schuil would come up tae us an go:

Heh MacGlinchy. Ah loast aw ma money oan me wey tae schuil the day. Want tae know how? It aw fell oot the inside linin ae ma jaicket poackit. Ah mind you bumped intae us in the corridor yesterday. MIND? MIND? Well, see when you bumped intae us, right? Ye must've damaged the inside a ma jaicket, an caused it tae rip, an noo Ah've loast ma money. It's your fault. So gie's yer money.

An Ah'd hink:

Mibby it wis ma fault. Ah'd better gie um ma money.

But aw Ah wis really daein wis buryin ma heid in the saun lik a big stupit ostrich. They wur takin a pure lain ae us an Ah didnae want tae admit it tae masel. It gote so bad Ah began tae imagine that everhin in the wurld wis ma fault. Ah'd go hame an see some terrible disaster oan the News, even if it wis away somewher oan the other side a the wurld, an Ah'd hink:

Ah wonder if Ah hud anyhin tae dae wae that?

Ah wid hink hings lik – mibby that nun that gote cloacked bi the statue the mornin Ah wis boarn – well mibby she hud somehin tae dae wae it. Cause see if Ah hudnae been gettin boarn, she widnae huv got cloacked at aw, cause she wid huv been away doon the other end a the Toon Haw at the time. An say efter she gote cloacked right, that it hid hud this major effect oan ur life, because the church decidit when she cam oot a hoaspital that they wid send ur oan a mission tae South America, tae get ower the clunk oan ur heid. Anen when she gote tae South America, mibby she persuadit aw these refugees tae build a village oan a certain spot, an they wantit tae pit it elsewher but she goes:

Naw naw, build it ther.

But ur judgement wis aw skee-wiff frae that clunk in Clydebank, anen ther wis this terrible earthquake, an look! – ther it is oan the Six O Cloack News! An it's happened tae that village, wiped oot! An mibby it's aw ma fault! That is the kind a hings that went through ma mind, everhin wis mincin ma heid up, specially aw the kerry oan at schuil.

Ye see, the wey hings worked oot, me an Gobbsy coasted through the Wee Schuil, cause it wis jist aw the weans frae roon aboot an evrubdy knew wan another an gote alang Jim Dandy. It wisnae until we went tae Big Schuil alang the road, wae folk frae places lik Knightswid an Temple an Shafton aw lumped thegither, that life gote that bit harder. We'd gote aff tae a bad start thanks tae Two-Ton Granny – she hud knittit us baith a new jumper fur startin secondary. Nane the wiser aff we went, matchin bright rid jumpers wae a yella zig-zag, an wee embroidered reindeers prancin acroass thum. A right couple a jube-jubes we must've looked, me a fit taller, an him in ees giant glesses an a mad herrcut inflicted oan um bi ees auld man's razor-comb. Look a wee bit different an ye're bound tae get pelters.

If first year wis tough then second year began lik a sentence. We hud managed to ootgrow the jumpers, but Featherweight Granny, somehow sensin that we deserved even merr punishment, chimed in wae two mauve snorkel-jaikets frae a fire-sale at Khazim's Warehoose in Tradeston. Great. Noo it wis lassies' jaikets.

Ah wis behavin lik a right pussy, lettin folk take ma money aff mi, an wan time Ah even watched wee Gobbsy's snorkel hood gettin ripped right aff an Ah never even liftit a finger. It wis gettin taewards Christmas, an Ah couldnae wait until the schuil holidays tae get away frae that place. Ah wis so unhappy. Ah even thote aboot askin ma Maw tae send mi tae another schuil, but Ah didnae want tae hassle ur.

Lik the people frae the Daurk City in me an Gobbsy's legend, Ah hud loast aw notion a the Golden Key, an Ah wisnae believin anyhin in ma ain hert. Ma Girnin Gates wur firmly shut, an ther wis nae light ur happiness in ma wurld. Ah went oan hinkin aw sorts a stupit hings wur ma fault, an Ah startit wundrin if Ah needed ma heid examined bi a trick-cyclist tae soart us oot. But Ah hudnae reckoned oan a fearsome instinct that wis deep inside a mi, that wid help mi tae jerk ma heid oot the saun. The MacGlinchy temper.

Ye see, if there's wan hing in this wurld that can make me go pure doo-wahl mental it's gote tae be spittin. Ah *hate* spittin. If Ah see somedae in a fitba match oan the telly spittin oan another player Ah feel lik liftin the telly an crashin it right through the livin room windae an jumpin oan it. Ah cannae help it, it's a madness that's in mi. Ye might then well wonder, gien ma personal hatred a spittin, that Ah should choose fur ma best mate somedae bi the name a Gobbs.

The last day came afore the Christmas holidays, an me an Gobbsy wur expeckin a hard time oan the wey oot the schuil gate as usual. Ther wis four a thum at the gate, staunin oan the steps waitin oan us, an we wur jist gonnae walk past an no bother wae thum. We gote tae the fit a the steps anen wan a thum goes:

Heh. Wee man. Is your name Gobbs?

An Gobbsy goes:

Aye Smiddy man. Ye know it is.

An ee goes:

Gobbs bi name. Gobbs bi nature.

Ee howked up anen let this durty yella-green grogger flee frae ees mooth. Ee gobbed it, an it drapped oot the err frae the tap a the steps an landit right oan the wee man's glesses. They aw stood ther laughin.

First Ah felt lik Ah hud the boak. Anen Ah felt this awfie ringin sensation in ma heid. Ma mooth felt lik aw the fillins in ma teeth wur meltin, cause Ah hud this terrible taste a metal in ma mooth. Ah startit seein rid an blue spots floatin in front a ma eyes. Aw at wanst an aw ae a sudden, Ah felt mental an yet Ah felt that a horrible mist hud cleared frae inside a me, an Ah realised whit a tube Ah'd been, lettin masel get taken a lain ae fur so long. But that aw happened in a split second. Bi the time a full second hud passed Ah hud leapt up the sterr an panned Smiddy a belter right in the moosh.

Ee flew back an Ah panned um again an again an again, Ah wis oan fire, ma right errum goin lik the clappers, the left follaein through. Ah thote bi noo ees mates wid've jumped oan tap ae us, but they wur backin aff an kiddin oan they wur laughin. Next hing Ah sees the wee man minus the glesses flyin through the err an skuddin wan ae thum right oan the dish, knockin ees feet up aff the grun. The other two startit runnin an we startit efter thum, howlin an screamin *COME OAN!* We caught up wae thum when they hit a dead-end at the sheds.

Dancin berr! Cue the Batman music:

Da-ra ra-ra ra-ra ra-ra Da-ra ra-ra ra-ra ra-ra

BLOOTER!

Da-ra ra-ra ra-ra ra-ra Da-ra ra-ra ra-ra ra-ra

BANJO!

Doo-roo roo-roo roo-roo roo-roo Doo-roo roo-roo roo-roo roo-roo

WALLOP!

Da-ra ra-ra ra-ra ra-ra Da-ra ra-ra ra-ra ra-ra

DOOSH!

Nat-na

SKELP!

Nat-na

AYAH!

Nat-na

WANNER BLOOTER HAMMER BATTER WALLOP WALLOP SKUD!

We walked hame alang the Voulevard laughin wur heids aff, fur we knew that naebdy at schuil wis ever gonnae bother us again. At last we'd fun that Golden Key. An Christmas an New Year wis comin, an lots a good times an perties, an me an ma wee mate Gobbsy – we wur gonnae be up fur it.

8
UNG!

We were aw oan the tap deck ae a Corpie bus headin fur Glesga – me, Spencer, Mairead an ma Maw n ma Da. They were takin us tae see the Christmas lights up the toon, an the big lantern parade that wis headin doon frae Blythswid Squerr, roon Argyle Street an back up tae the City Chambers.

Me an Spencer (Ah'd kinna went aff cawin um Gobbsy noo, cause it mindit us a yon disgustin episode at the schuil gate) were lookin oot the windae as the Number Twinty coasted alang the Voulevard – or the Great Western Road tae gie it its poash name. It wis jist turnin daurk, an aw alang the road Christmas trees wur twinklin in front windaes. Some hud a few wee lights, some hud loads a flashin lights, some hud lights roon the tree an roon the windae frames an aw. We wur sittin goin:

Look at that wan!

Lookit man! Lookit! Lookit!

An it became a kinna wee gemme, tae see who could spot the best wan furst. Ther wur some right belters. We wur gettin a wee bit merr fevered goin:

That wan! That wan!

Maw n Da wur laughin an Mairead rolled ur eyes back intae ur heid goin:

Yous ur no real gonnae yuck it?

She wis fifteen an wis probly gettin pure beamered-up worryin, in case any ae ur pals gote oan, an we wur sittin ther actin lik a perr a zoobs giein ur a showin up. Anen somewher near Knightswid Croass, Spencer spottit this magic Christmas display in somedae's gerden. It hud the works; a big tree wae flashin lights, glowin Santas, snowmen, even a wee nativity grotto wae A Wean in a Manger. Ee wis near chokin wae excitement, an ee jist pintit an made the furst noise that came tae um. Ee went:

UNG!

We aw burst oot laughin, even Mairead, anen aw the wey alang the road, past the Anniesland tenements, ther wis the five ae us pointin at Christmas trees in folk's windaes an goin:

UNG!

An the furst person tae shout *UNG!* when they spied wan gote a point, an ye kep a coont in yer heid, until the bus gote tae a stoap an ye matched the scores. Man, whit a hoot we wur huvin, specially when the bus sped up an ye're whizzin alang wae tenements on either side an evrubdy's pointin an goin:

UNG!

UNG! UNG!

UNG UNG UNG!

UNGUNGUNGUNGUNGUNGUNGUNG!

an howlin an hootin aw at the same time.

We passed the poash flats at Whittinghame an kep oan *UNG*in, but the toffee-nebs didnae huv very good Christmas trees. We came tae a stretch a road wae nae hooses, jist playin fields oan wan side an the Bingham's Pond oan the other. The pond wis covered wae hunners a swans, glowin white in the daurkness, an ma Da made that same stupit auld joke that ee made every single time we passed it.

Look evrubdy! Bingham's Pond is black wae swans!

An we groaned.

Mair folk gote oan the bus, takin ther weans up the toon tae the parade. We came tae hooses again, an startit *UNG*in, an they aw cottoned oan tae it an startit playin *UNG* as well. A couple ae auld guys gote oan at Queen Margaret Drive, an they jined in as well, as the bus hurled alang ower Kelvinbridge. Ther wis hunners merr *UNG*s, wae evrubdy *UNG*in an laughin, until we came tae the end a Great Western Road at St. Georges Cross, an the bus went unner the M8 flyover an atween aw these giant concrete pillars. It passed through Coocaddens intae the toon, atween giant oaffice buildins but ther wisnae a Christmas tree in sight. It veered doon West George Street an roon Nelson Mandela Place, then through giant buildins intae George Squerr. Ther in the middle o George Squerr wis the biggest illuminatit Christmas tree ye'd ever seen in yer puff, an the haill tap deck o the Number Twinty goes:

UNG!!!

9
SANTA'S SURPRISE

We wur staunin at the fit a Queen Street, watchin the parade make its wey alang the middle ae Argyle Street taewards us frae unner the Hielanman's Umbrella. The parade hud hunners a folk wae lanterns, guisers dressed up in aw sorts a costumes, an giant snowmen an Santa puppets wae folk inside thum, haudin up lanterns oan poles aboot twinty fit high. The Twelve Days A Christmas went by, wae real pipers an dancers, an Ah could see the giant Santas wur wobblin an swayin, lik it wis murder tryin tae keep thum upright, an evry so often wan ae thum would breenge taewards the pavement then check thur balance again. As the parade wheeled roon intae Queen Street, a giant Santa came topplin doon taewards us. Aw the folk roon aboot cooried away thinkin it wis gonnae faw, anen this voice goes:

Uncle Archie! Aunt Mary! Gilbert! Mairead!

Santa's big coat opened, an cousin Connor frae Elgin's heid popped oot, tryin tae haud the giant lantern an balance Santa at the same time an ee's wobblin aboot goin:

How are ye all? Mibby Ah'll see ye up at the City Chambers?

We aw burst oot laughin an headed roon tae the City Chambers at the back a the parade, wher aw the guisers an lantern-hauders were gettin rid ae thur gear intae trucks an vans. We caught up wae Connor an ee telt us ee wis doon here noo, studyin Drama at Langside College, ee wis daein an HND. We aw went tae *Pizza Caledonia* an et fur Scotland, me n Spencer hud an eatin contest an Ah beat um bi a single slice a Haggis Pepperoni. Connor wis pure guttin issel et wur antics, specially when we telt um aboot *UNG*, but Mairead wis mortified an said she hoped we spewed wur guts oot an died. So we hud merr ice-cream an chips jist tae sicken ur.

Oan the bus hame we were gonnae play *UNG* again, but bi the time we reached Great Western Road me n Spencer wur haudin wur guts in agony. We hudnae felt this bad since the time we raidit aw the rhubard oot a Scobie's gerden an et the lot in a wannie. Ah felt lik goin *UNG* awright. But no because Ah wis lookin oot the windae at Christmas trees. Ah wis lookin at the flerr a the bus, feelin evry bump oan the road, ma insides swurlin wae the boak an ready tae cowk ma ring.

UNG!

10
A GUID NEW YEAR

It seemed lik the script wis the same evry New Year, yet ther wis ayeways somehin comfortin in that kinna predictability. It wis lik an auld favourite record that ye liked tae play wanst in a while, ur a fillum that ye wid mibby like tae watch again an again. Some hings are worth repeatin.

It wis ayeways in oor hoose, an wid ayeways begin aboot eight a cloack oan Hogmanay, wae Two-Ton Granny an Featherweight Granny turnin up tae help Maw make sandwiches. Two-Ton Granny wid ayeways show up wae a coo's tongue in ur handbag. When the sandwich-makin wis feenished, Featherweight Granny wid ayeways bag ur seat oan the piano-stool, an sit ther fur oors tae make shair that naebdy else bagged it. We watched aw the tartan mince oan the telly, an slagged it aff, an Two-Ton Granny an Featherweight Granny wid go oan aboot whit a loss tae Scottish life the death ae Andy Stewart wis, an how nuhin's ever been the same since Duncan MacRae performed ees last 'Wee Coack Sparra' oan the telly back in Nineteen Canteen, an aw the time Da's tellin thum tae wheesht doon so's we kin get a laugh at *Only an Excuse* an *Chowin the Fat,* anen ee gets the clicker an turns it up full-welly, an Two-Ton Granny an Featherweight Granny ur shoutin ower the tap a the telly an ther oantae the Alexander Brothers ur the White Heather Club bi noo, an how the Clyde ships used tae aw blaw ther hooters at midnight.

The furst-fitters wid ayeways come efter midnight, an me n Spencer wid down loads a fizzy-bru. It wis that same auld script, Ah never expectit wan year tae be different frae the next, an Ah wis never disappointit.

So ther we wur at midnight, sayin farewell tae the auld year an hello tae the new, shakin hauns an kissin an cheerin. The doorbell went an the furst lot came in, Mrs McShane an ur husband, them wae the dug cried Shane. Anen Mr Gobbs an Spencer, even auld Scobie, anen a surprise when Connor an some a ees pals frae Drama College turnt up.

In the turns, me an Spencer ayeways hud tae go furst. We hud rehearsed a version a *The Daurk, Daurk Night.* We switched the lights aff an evrubdy went *wooo*, anen we pit oan wur spookiest voices:

It wis a daurk, daurk night
In a daurk, daurk land
Ther wis a daurk, daurk shire
Wae a daurk, daurk hill

Ther wis a daurk, daurk toon
Wae a daurk, daurk road
An a daurk, daurk street
In that daurk, daurk toon

In the daurk, daurk street
Wis a daurk, daurk hoose
Wae a daurk, daurk gerden
An a daurk, daurk door

Through the daurk, daurk door
Wis a daurk, daurk loaby
In a daurk, daurk room
Wis a daurk, daurk cherr

Oan the daurk, daurk cherr
Wis a daurk, daurk man
Wae a daur, daurk face

An a daurk, daurk haun

In ees daurk, daurk haun
Wis a daurk, daurk note
Oan the daurk, daurk note
Wis a daurk, daurk message:

Dear Mister Gobbs
Ye huvnae peyed yer electricity bill fur six month
Wuv nae option but tae cut aff yer supply!

Evrubdy hootit an applauded an Mr McShane says Vincent Price issel couldnae huv done a better joab. Maist a Connor's mates thote it wis a hoot tae, a'though wan a thum said that we shouldnae undermine the underclass bi daein sketches aboot folk wae thur leccy cut aff, an that mibby we should concentrate wur satire against the system that oppressed folk insteed a the folk thursels, an that a'though wur material wis promisin ee thote it wisnae very PC, but Spencer goes:

Ah'm glad tae hear it mate, cause if it wis PC it wid be Pure Crap.

Anen it wis Maw's turn an she sang 'The Twelfth A Never' cause she'd been a Donny Osmond fan when she wis a young lassie. Anen Connor hud this mate frae Inverness cawed Calum that hud brought this wee leprechaun puppet that ee'd made – ee tied it roon ees shooders an worked its wee errums wae wires an done this sketch in the leprechaun's voice an evrubdy wis hootin thersels daft. Anen Scobie stood up tae sing an somedae goes:

Heh you, nae perty songs!

Scobies goes back:

Ah wisnae gonnae sing nae perty songs! Ah'm gonnae sing a song aboot *a perty – but it's no an Orange song nur nuhin. It goes lik is:*

So ee starts up:

'Twas at McCartney's party
And evryone was hearty
MacGurk struck Maloney on the nose!
MacGinty led the room
Wae the handle ae a broom
And then the riot arose.

Big Murphy and his cousin
Paralysed a half a dozen
The blows fell soft and hard!
And there's a number of the boys
That'll never make a noise
Cause ther lyin in the auld chuch yard!
Yes Sur!

Nyech Nyech! That's whit happens when ye get a load a Irishmen drinkin thegither! NYECH NYECH NYECH!

Anen fur the furst time Ah could ever remember auld Mister McShane gote up an ee goes:

Haud yer wheesht Wullie Scobie that song wis a load a total mince. Right! Ah've gote wan fur yez! It's a poem by the greatest poet Scotlan's ever hud, the wan an only Robert Burns. It's a cracker. It's cawed 'Tam O Shanter'.

Ee pulled a cherr intae the middle a the flerr an began:

When chapman billies leave the street
An drouthy neebors neebors meet
As market days are wearin late
An folk begin tae tak the gate ...

Mister McShane wis good. Ee hooked us wae the poem an took us wae um oan Tam O Shanter's journey, goin oan the bevvy wae ees auld crony Souter Johnny, Tam's wife sittin at hame beelin, waitin fur um tae come hame an Tam oot oan the batter no giein a monkey's. Anen ee sets oot fur hame oan ees auld grey mare Meg, an comes tae Alloway kirkyerd in the thunner an lightnin, an sees aw the ghosts an witches. The ghosts ur huvin a mad ceilidh dance, an Tam forgets issel an roars oot an gies the gemme away, an they aw rush oot efter um. Ee's chergin awey oan ees horse wae the ghosts efter um, taewards the auld brig ower the Doon Watter, an if ee makes it ee'll be awright cause ghosts cannae cross runnin watter. Ee jist makes it tae the brig, when a witch swipes oot an grabs the horse's tail, they make it acroass, but poor auld Meg's left withoot ur tail.

The poem endit an evrubdy roared.

Noo it wis time fur Da an Mr Gobbs's daft routine. It wis the same evry year. Da an Mr Gobbs wid go oot tae the hall press, an guddle oot some a Da's auld mental gear frae the Seventies. They came back ben the livin room, they wur baith werrin flerred breeks, an Da hud oan a denim coat wae a fur collar, an a perr a rid an green platform shoes. Mr Gobbs hud oan a Crombie coat, an a perr a Doc Marten's Err-Werr bits. Da goes:

Right Merry, huv ye gote the record ready?

The auld vinyl record turntable's goin an Maw's gote the record ready. It's an auld classic single frae 1976, 'In Zaire', bi Johnny Wakelin. It's aw aboot a famous boxin match ther atween Muhammad Ali an George Foreman. Only Da an Mr Gobbs sing ther ain words, it's the words tae a daft local song that used tae dae the rounds at perties back in the days when the record wis oot, only it's no cawed 'In Zaire' – it's cawed 'In Yo-ker'. The music starts wae a tribal beat, anen the two ae thum sing ower it:

Once there was a battle ther

In Yo in Yo-kerr
It startit doon in Langy Squerr
In Yo in Yo-kerr
A ragin psycho cawed McNerr
In Yo in Yo-kerr
Wis throwin doon the gauntlet sayin come on if ye de-er-rr
In Yo-kerr

A hundred people gathered ther
In Yo in Yo-kerr
Fur tae watch the mental terr
In Yo in Yo-kerr
Then they saw his challenge-er
In Yo in Yo-kerr
Swagger doon frae Partick wae his malky in the e-er-err
In Yo-kerr

Forward steps the bold McNerr
In Yo in Yo-kerr
Knocks the malky in the err
In Yo in Yo-kerr
Forward goes the Partick berr
In Yo in Yo-kerr
The bovvers an the fisticuffs are flyin evrywher-er-err
In Yo-kerr

They battled up an doon a sterr
In Yo in Yo-kerr
The length an breadth o Langy Squerr
In Yo in Yo-kerr
The news hud reached a polis kerr
In Yo in Yo-kerr
So they stationed aw thur paddy-wagons fifty miles frae ther
-er-er

In Yo-kerr

A krazy mental squerr-go in the night
Beats yer rumble in the jungle and Muhammad Ali fight
In Zaire

Guts wur spilled acroass the squerr
In Yo in Yo-kerr
Blood it ran in the gut-ter
In Yo in Yo-kerr
Severed heids upon the flerr
In Yo in Yo-kerr
If ye're lookin fur a rammy then ther's plenty goin spe-er-er
In Yo-kerr!

Evrubdy wis clappin alang then cheerin at the end excep Two-Ton. She sat wae ur big errums foldit shakin ur heid goin:

That's a load a rubbidge that. Singin aboot fightin, an folk shivvin wan another wae malkies an aw that. Ye'll gie the weans nightmerrs.

Da goes:

Don't be stupit Maw it's only a daft joke. Anywey, whit aboot aw yon violence oan the telly, aw that American guff an aw that, blawin wan another's heids aff wae guns? The Yoker song's a pure cartoon compared wae aw yon.

But the Two-Ton-G jist goes:

Aye well it's time we hud some daicent songs. Come oan you Nessie an get the piana gaun.

Featherweight went intae the piana stool an came oot wae a book wae a rid tartan cover sayin:

Fifty Traditional Songs of Scotland

She placed it up oan the piana anen startit playin. This wis ayeways ma favourite bit. We Roamed in the Gloamin doon tae the Bonnie Banks o Loch Lomond, went Sailin Doon the Clyde tae wher wur ain folks bide, an we Loved Mary wur Scots Bluebell. We kep Right on tae The End a the Road, an walked the Road an Miles tae Dundee an visited the Northern Lights a Auld Aberdeen.

Ah listened tae aw the voices singin thegither, an Ah ayeways hoped at that moment that somedae wid be walkin past oor hoose an hear how happy it aw soundit. Anen Ah wid imagine the music an singin driftin right oot the windae, an ma imagination wid jine in wae it, risin up past the pylon an lookin doon ower the city wae aw its orange lights bleezin fur miles. Ah wid see the Clyde leavin the toon, wyndin doon tae the Firth an glistenin unner the frosty stars, an in ma heid Ah swooped alang the coast oan the music, past wee hooses, keekin in windaes wher folk wur celebratin an singin, an Ah hoped evrubdae evrywher wid huv a happy new year lik me.

When the singin endit Ah sneaked ben the kitchen, an wrapped a wee bit a cling-film roon the end a Two-Ton Granny's coo's tongue an stuck it in ma mooth, anen Ah stuck ma heid roon the corner so's it looked lik Ah hud this giant tongue stickin oot ma gub an Maired goes:

Aw look at Gilbert! You're pure aff yer heid!

Evrubdy turnt roon an startit howlin excep Two-Ton an she's goin:

That better no be ruined. That's a delicacy that!

An Ah pullt it oot an goes:

It's aw right Granny! Look! A stuck a bit a paper roon it so's Ah widnae get ma slevers oan it!

Evrubdy laughed again excep Two-Ton Granny, she sat wae a face lik fizz an Spencer goes tae us:

Heh Gilbert man. Yer Granny reminds me a the Girnin Gates.

11
DA'S WURLD

Fur a spell, Ah jist couldnae figure the wee man oot. Evry time Ah went roon fur um tae go somewher ee wid tell us ee wis steyin in. Ah wid go roon fur um tae go tae the pictures – an ee would go somehin lik, *eh naw no the day Spencer Ah'm gonnae stey in an look et ma stamps.* Ur ee'd mibby go – *na it's awright mate Ah'm jist gonnae sit here an coont ma matchboaxes.* Wan time ee even said ee wis steyin in a'cause it wis rainin. *Rainin?* If ye steyed in a'cause a the rain in Glesga ye'd never see the light a day.

Fur a while Ah wundert if ther wis somehin wrang wae um, ur even if Ah'd done somehin tae offend um, but Ah couldnae honestly hink ae anyhin. Ah wondert if it wis mibby somehin tae dae wae ees Maw, ee often went up tae see ur in the hoaspital at Gartnavel Royal, but ee never talked aboot it much. The last Ah'd heard, ees Maw hud been makin good progress oan some new drug treatment that wis makin ur much better, an ther wis even talk ae ur comin hame. But mibby she'd hud a relapse, an mibby Spencer wis sufferin, hinkin ees Maw wid spend the rest ae ur days in kerr, so Ah tried no tae bother um too much.

Ah startit gaun tae the pictures oan ma tod, doon tae the Multiplex at Clydebank. It wis awright wanst Ah wis ther, me bein movie-daft, but it wis a gey lonely walk alang the Nolly bank, ther an back again.

Fillums came an went, good an bad, *Skerry Movie, Phantom Menace, Amelie, Harry Potter, The Man Who Wisnae Ther, Black Hawk Doon, Lord a the Rings.* Ah startit tae read movie magazines, anen Ah heard aboot the Glasgow Fillum Theatre, the GFT, up the toon, an how they showed international fillums an aw that, an did seasons a different kinds a fillums. Ah'd never seen a black an white movie in the cinema afore, an me an Da went up wan time tae see *The Treasure a the Sierra Madre* wae Humphrey Bogart, ur Humpty Go-kart as Da wid say. Ah couldnae believe the quality a the auld black an white pictures when ye seen thum up ther oan the big screen. Ther wis this auld timer in the fillum, an sometimes it looked that real ye'd hink ees face wis comin oot the screen. Ther's a famous line in that fillum, when Humpty Go-kart asks tae see the polismen's badges, an evrubdy in the cinema cheered when the Mexican polisman drew oot ees gun an went:

We don't need no steenkeeng badges.

Da wisnae much in work an it wisnae that oaften ee came wae us anywherr, but if ee happened tae huv a sperr pound ee usually gave it tae me ur Mairead.

Fur a time ee gote some work in a factory doon the Vale a Leven, but it wis jist odd days here an ther an the Fat Bloke Wae The Cigar that owned the place widnae take um oan permanent. Ah could see that Da spent a lot a ees time kinna livin in the past, hinkin back tae the days when ther wis a lot merr work oan the Clyde than noo, an probly jist hinkin back tae the laughs ee used tae huv wae ees mates an aw that. Ee'd never really moved oan in life, but in ferrness it wisnae entirely his fault. Every new year ee wid buy a calender wae:

Old Clydebank

an ee wid sit ther fur oors lookin at these auld photies a places that wur demolished years ago, places ee used tae work an places ee used tae go fur a pint. Ee'd go:

Ther's the Seven Seas pub. Me an ma mates used tae go in ther fur a jaur efter work, anen we'd go fur wan in Connolly's alang the road. Anen when yer mother an I startit winchin Ah'd go hame an get washt an chynged – an we'd go doon tae The Crown ur The

Treadle. They wur considered trendy kinna places ye could take a burd, cause they hud a carpet.

It wis lik Da's haill wurld wis a ghost-toon, somehin wae nae material substance. Wan Setterday efternin we went fur a dook doon tae the Clydebank Swim-Drome, anen we gote chips frae the Floatin Chippie oan the Nolly, an efter it Da took me oan a tour a hings that wurnae ther any merr. We walked alangside the emty carriageway a Glesga Road taewards the Toon Haw, an Ah looked up tae the tap a the clock-tower dome, deprived ae its wee gold angel frae the time Ah wis boarn. Ee took us tae wher the auld swimmin baths used tae be, an ee goes:

That's wher we used tae go swimmin, Gilbert. Ye'd come oot, an usually some joker wid make an Arab heid-dress oot ees towel an wet trunks. Jist ower ther wis a chippy cried Rapalla's an ye'd aw git chips, an ther wis a shoap cried J&B's jist ther – they kep a billboard wae the Top Ten in the windae an ye'd aw stoap an look et it tae see who wis Number Wan. An if somedae smoked they'd buy a single oot a MacGoldrick's ther.

An ee'd pint tae an emty space, as if ye could still see it. We walked alang, past non-existent pubs an shoaps, gettin treatit tae the invisible wonders a Clydebank. Ah thote ma Da wis startin tae go right aff ees trolley. We stoaped at a coarner wae nae buildins an ee goes:

Ah mind this! Ther used tae be a Tailor's shoap here cried Claude Alexander's. They hud a big mirror right oan the street coarner, an if ye stood right in the middle ae it an moved wan leg, it looked lik ye hud three legs, an yer two ootside legs were comin aff the grun at the same time! An if ye moved yer errums an wan leg thegither, it looked lik yer errums an legs wur aw movin at the same time. We used tae spend ages daein this.

Anen ee startit daein it. Da wis lookin back intae ees memory, seein issel as a boay daein the trick in the mirror. But tae emdae drivin past, aw they wid see wis this bampot in the middle a naewher, staunin oan wan leg an wavin ees errums an wan leg up an doon, an me staunin five feet awey lookin at the grun, pure beamered. Efter that we visited an aquarium that wis buried ten feet unner the street, somewher else that ye went oan the wey hame frae the swimmin baths, back in the days when 'Yella Submarine' wis Number Wan in J&B's windae, an mince wis tuppence a pun. The aquarium hud been in a basement doon a wyndie sterr, an ye went ther an looked at the angel-fish an guppies an aw that.

Even Da's fitba team, Clydebank F.C., hud been blootert oot a existence, first bi mismanagement anen bi a series a windbags an liars that'd moved in oan the pretence a breathin new life intae the club, only tae try an re-locate thum tae play in other countries, let alane other toons in Scotlan. Kilbowie stadium, wher we spent years watchin wur fitba, hud been demolished tae make way fur a McDonalds, a car-park an a shoap. The Bankies went tae ground-share at Dumbarton, finally gettin relocatit tae Greenock – as faur away frae the supporters as the owners could possibly get thum tae try an kill the club aff, an remove the burden a ther dodgy investment efter failin tae relocate tae Dublin an Carlisle. In oor faimly's case ther strategy worked, fur ther's nae way ma Da could've afforded tae take us away doon tae Greenock fur gemmes, an in the end, efter the fans battlin fur years wae dodgy owners tae try an keep the club alive, the final disgrace came wae the team bein bought oot bi the predators frae Airdrie United.

That wis ma Da's virtual wurld. If ee could've gote a shoat oan the holo-deck oan the Starship Enterprise, Ah've nae doubt in ma mind that ee'd huv programmed it so's ee could spend aw ees sperr time goin fur a swallie in pubs that wur demolished years ago, ur cheerin oan Ken Eadie skelpin in a hat-trick fur the Bankies at Kilbowie.

Da wis livin in the past an Gobbsy wis actin the hermit. Ah startit hinkin it'd been an awfie long winter. The days wur lengthenin, an mibby we could aw be daein wae a break. Ma burthday wis comin up at the end a April, an Ah ast if we could mibby go oan a trip, huv a day oot somewher. Ah never heard any merr aboot it fur a couple a weeks, anen Da gote back tae us wan night when Ah wis sittin in ma room:

Gilbert.

Ee goes:

Wur gonnae huv a day oot fur yer birthday. Come Sunday mornin, Jimmie Deans frae Lincoln Avenue's comin ower wae ees big van. Ees gonnae pick us up an take us aw oot tae the Stockiemuir an drap us aff; me, you, Mairead, an Spencer n ees Da. Mr Gobbs is gonnae take ees firrits an ees rods an wur gonnae go rabbitin an fishin. Ah know it's no exackly Disneyland son, but at least it'll be a day oot. Wu'll take a stove an chits an aw that.

Ah goes:

Naw, that's great Da. It'll be a crack'n laugh.

Ah couldnae wait till the Sunday. Ah went ower tae Spencer's hoose tae make sure ee wis definitely comin. Ee knew aboot it a'ready, but ee jist goes:

Aye awright man. Ah'll see ye oan Sunday mornin then.

lik ee wisnae that bothert an Ah thote:

Ther's somehin wrang wae that boay.

12
FIRRITS

Oan the Sunday Jimmie Deans turnt up at hauf five in the mornin an we hud a big scran-up – bacon, eggs, soasij, tattie-scones, black puddin – the works. Spencer an ees Da came ower fur some chow an aw, an Mr Gobbs hud ees big firritin bag slung ower ees shooder, an auld canvas gadget wae GPO stamped oan it, wae a special zipped poackit tae keep Larsson an Sutton in. Ee stuck some squerr-slice soasij in tae keep the hunger aff thum, so's they widnae be tempted tae eat too much rabbit wanst they wur doon the burras. The wee man seemed in better feckle awthegither an ee pulled oot a kerry-bag wae somehin in it an goes:

Happy Birthday, Gilbert.

Ah opened the kerry-bag an Ah couldnae believe it. A camera! A *Canon* an aw, a pure minter! Ah goes:

Spencer. How did ye manage that?

Ee goes:

Ah thote ye'd a twigged bi noo man. Ah've been savin up fur ages, that's how Ah've no been goin oot. It's a cracker man in't it? Ah waitit until a good yin came up in The Snips in the Evenin Times. Ah hud tae jump the subway man, awey ower tae somedae's hoose in Cessnock tae get it. Ah've even pit a fillum in it fur the day.

Ah wis flabbergastit. Aw this time the wee man hud been actin the hermit, ee'd been savin up fur ma burthday, an ee'd bought us this crack'n camera!

Da hud oor haversack aw ready frae the night afore, wae wur cheese-chits an stove an pot packed inside, an we poalished aff wur breakfast anen set aff. We gote intae Jimmie Deans's van, an ee drove aff through the Drum an up taewards the Peel Glen. As

Drumchapel wis goin past, me an Spencer wur tellin evrubdy aboot yon night we set oot tae catch the icey an endit up in Mullguy. We mindit oan yon auld weird set a gates in the middle a naewher, awey ayont the Drum, an how we hud decidit that they wur *The Girnin Gates*. But Mr Gobbs goes:

Yez ur talkin oot the tap ae yer heids. Ah mind a the Girnin Gates, ma Da used tae take us tae see thum when Ah wis a wee boay. They wur demolished aboot thurty-odd years ago.

Anen Ah goes:

Whit d'ye mean Mr Gobbs? Me n Spencer didnae even know ther wis such a hing as the real Girnin Gates. It wis jist somehin we made up when we came tae these auld gates wae weird heids carved oan thum, oot in the middle a naewher.

An Mr Gobbs goes:

Yez ur talkin pure mince. Wher wis this?

An we baith goes:

Pendicle Road.

An ee goes:

Pendicle Road yer chuff! Ther's never been a set a gates oan the Pendicle Road in ma time. Ah'll tell yez wan hing but. Ther only ever wis wan set a Girnin Gates, an 'at wis at the auld entrance a Garscadden Hoose, an they demolished hit years ago. An Ah'll tell yez another hing. Garscadden Hoose wisnae naewher near nae Pendicle Road.

But Spencer goes:

We seen thum Da. We did. We seen a set a Girnin Gates man.

An Mr Gobbs went:

Aye well in that case Ah hink yez must huv been IN The Girnin Gates, fur that's the name ae a pub doon in Hecla Squerr.

An Da goes:

Heh that's right. The Girnin Gates. Did that no used tae be cried the Hecla Bar?

Mr Gobbs noddit an Da says:

Heh, dae yez know how come it wis cried the Hecla? It wis cause the letters stood fur the Hazy-Eyes and Charred Lung Association *– the HECLA.*

That wis it, the subject wis chynged an we said nae merr aboot the Girnin Gates. Ther wis nae convincin Mr Gobbs that we'd seen somehin in the fog up oan the Pendicle Road, a set a gates wae gargoyles. Ee let Larsson an Sutton oot fur a breath a air an gied us a shoat a thum. Larsson hud a gowden sheen tae um, Sutton wis grey. They wur bonnie lookin beasties but when Ah caught a whiff a thum Ah remarked tae Mr Gobbs that they wur ferr mingin. Mr Gobbs goes:

Ye'll no mind mingin so much when ye're tuckin intae a rabbit stew. Err Larsson an Sutton. The best perr a strikers in Europe. Wu'll get a couple a bunnies the day aw right.

Spencer made a stupit joke an we aw shook wur heids but sniggered aw the same, ee goes:

Heh, Da. Know how come yer firrits are named efter Celtic players?

How?

So's ye kin go aboot singin 'Firrits A Grand Old Team To Play For'.

Aw Spencer! Never min' ma mingin firrits. Your jokes are merr mingin than the Glesga sewers!

Jimmie's van left the Peel Glen an headit through the Bluebell Wids an ower Windyhill, anen turned oantae the Stockiemuir Road at Baljaffray Croass. The country opened oot a bit an we could see Dumgoyne mountain oan the Campsie Fells. We went past a gowf course an ther wis a loch doon in the distance cried Craigallian, wher Mr Gobbs hud gote nabbed poachin when ee wis a boay an taken tae coort. Jist as we wur approachin the Allander Brig, a Robin Reliant roondit the bend comin taewards us an Da went:

Heh, did ye see that? That caur went roon that coarner oan three wheels!

We passed the Haufwey Inn an the Queen's View anen

Jimmie drapped us an drove aff. Ee'd drapped us wher ther wis a wee well oan the other side a the dyke, so's we could huv a brew.

We fun a bank wae some burras above a wee burn, an Mr Gobbs telt us tae look fur fresh scrapes ur rabbit keech. Thur wis plenty, an efter aboot an oor we hud five bunnies in the bag. We moved oan an fun another set a burras, an gote another two. Mr Gobbs decidit that wid dae fur noo, anen we did a great hing.

We aw decidit we wid go oan this great long hike acroass the O'Kilpatrick Hills, an stoap aff an fish whenever we came tae a loch. We walked awey up a heather brae that rose fur miles an miles, an when we gote tae the tap Da pintit an shoutit:

Heh, lookit that!

We follaed the direction a ees finger. Doon ablow us the hills swept away in lang rollin summits crowned wae firs, anen stoaped wher the mountains rose up taewards the clouds. Ther wis a big loch wae widded islands stretchin faur awey atween the mountains, an Da goes:

Ther it is. The Bonnie Bonnie Banks a Loch Lomond.

We stoaped tae get wur breath back frae the climb an looked doon at the Bonnie Banks. Ah took the new camera oot an snapped a few photies, tryin different lens settins, anen we traipsed aff again, walkin fur miles an miles ower a muir. Mairead goes:

Ah'm knackert. How faur is it tae that next loch Mister Gee?

No faur hen. Wur gaun tae the Baker's Loch an it cannae be nae merr nur hauf a mile.

An we goes:

Ur we gonnae get somehin tae eat soon? Wur aw starvin.

Mr Gobbs says:

A'course yez ur. D'ye no know how come it's cried the Baker's Loch? It's cause ther's a baker's shoap ther an wu'll get some rolls an pies an that.

Mairead goes:

Naw ther's no Mr Gee – you're totally windin us up!

But Mr Gobbs wae the straightest face in the wurld goes:

Aye ther is. Ah'm tellin ye. It's a baker's shoap beside a loch, it's famous aw ower Scotlan.

Whit's it cawed then?

Huv ye never heard ae it? It's cawed the Lochside Bakers. Dae they no teach yous nuhin et schuil?

Ee shook ees heid in disgust et wur ignorance. We walked up a burn that came tae a wee gorge, the bank risin higher, an us wae it, anen Da an Mr Gobbs led us doon a narra path through the trees, anen atween big rid fallen boulders. We dreeped doon a bank tae the watter's edge. Ye could hear hissin, an we saw a curtain a watter fawin ower a cliff, an ther wis a cave in ahint the waterfaw. Ye could jouk in unner it an look oot through the falls. The haill five ae us could fit in the cave, doon oan wur hunkers withoot gettin wet. Ah gote the camera oot an took some photies through the watter, anen Ah went ootside ae the faws an took some photies a evrubdy ahint the watter.

We climbed oot the gorge then follaed the burn tae wher it fell frae the loch, ower a spill oan a dam. It looked lik a right lonely loch, stretchin away intae the hills. Ah goes:

You're a total wind-up merchant Mr Gobbs. Baker's shoap ma erse!

But ee still looked dead serious, an goes:

Right then smart-chops, tell mi, whit's that white buildin away doon oan the shore doon ther? Eh? Tell mi that.

Right enough! Ther wis a buildin. An a wee road leadin tae it tae. Me an Spencer an Mairead cherged oan, an Da an Mr Gobbs picked up the pace ahint us. As we gote tae the white buildin we could see ther wis a sign:

Clydebank & District Water Supply
Baker's Loch Pumphouse

AW SEE YOU MISTER GOBBS!

Him an Da wur huvin a laugh. We fun a spot oan the bank an lit the paraffin stove an pumpt it up till it wis roarin flames, an pit a big pot oan fur a brew. Mr Gobbs set up some rods an we hud a spin wae a Toby, an him an Da wheeched oot the worm an hud a blether. Spencer gote a take, reelin in ees Toby, an ye could see the end o the rod dippin ower, but ee didnae hook it.

Heh man that felt lik a good yin man!

Ee stood oan the same spot an wheeched the Toby oot again an again but ther wis nae joy, unless ye wur the fish.

We let Larsson an Sutton oot fur a breather an gied thum some scran, anen Da gote a skelp oan the worm – the rod hud jurked an the line went slack. Ee hunkered ower it, haudin the rod an the reel, waitit fur aboot a minute anen the fish came back. The line startit runnin oot an ee gied the rod a welly an 'at wis it. Next ee wis haulin in a good yin, a big splash aff it, anen we heard Spencer shoutin oot he hud wan an aw. When the troot wur landit an lyin silver an speckult oan the bank Da said:

Ther ye are. As fine a perr a broonies as ye'll ever see.

Sittin oan the bank huvin wur tea oot a tin cups Spencer goes:

Heh. How come this is cawed the Baker's Loch anywey man?

But ees Da goes:

How wid Ah know?

But ma Da goes:

It's cause they originally built this dam tae supply watter tae the big flooer mills doon in Partick, hunners a years ago, an ye cannae huv nae bakers withoot flooer. Efter that it wis used as a supply fur the auld locomotive works at Springburn.

Mairead goes:

How did you know that Daddy?

An Da goes:

Ah read aboot it in the Mitchell Library up the toon. Ye can learn anyhin aboot anyhin in ther.

An Mr Gobbs goes:

That's good that Erchie. The flooer mills eh? Ah didnae know that masel.

An Mairead goes:

Aye that's right Mr Gee. You thought it wis a'cause ther wis a baker's shoap here din't ye?

An Mr Gee stood up an looked aboot an goes:

Aye. How? Is ther no?

An we aw hud a laugh.

13
SUNKEN TREASURE

We left the Bakers an skirted up the side ae a tree plantation, an seen Loch Lomond again. We came tae a wee loch cawed the Lily unner a mountain cried Duncolm an fished ther fur a while. We gote nae takes, but Mr Gobbs said that if we'd gote wan it wis sure tae be a beauty, cause a'though ther wisnae minny troot in the loch they wur crackers. Ther wis a story aboot a giant trout caught frae the Lily, aboot a hunner year ago, mountit in a gless case an kep in a lawyer's oaffice in Dumbarton.

We walked roon Duncolm mountain an cam tae a dry-stane waw, an follaed hit fur miles till we came tae the Greenside dam an caught loads a wee yins an hud another brew.

It wis only the end a April but the sun wis splittin the sky an we says tae Da that we'd like tae go in fur a dook. Ee telt us nae way cause somedae hud been droont swimmin in that dam an it drapped away fifty feet deep jist oot frae the shore. Anen him an Mr Gobbs mindit oan a pool doon the Duntocher Burn cawed the Black Linn wher folk ayeways used tae swim. The Duntocher Burn ran oot frae the Greenside an we follaed it an tried Larsson an Sutton doon a few holes oan the wey but they wur emty.

The burn fell doon bonnie oan its wee rocky bed but Ah couldnae see anywher that looked good fur a dook, anen it disappeared ower a rocky ledge, fawin fifty feet intae a big pool, the Black Linn.

Me an Spencer peeled aff tae wur scants an went tae go in but the watter wis lik ice. We gote in tae aboot knee-height then stood ther chitterin wae wur errums foldit. The rest ae thum wur laughin et us an goin:

Away ya perr a crappers! Wher's the brave boays that were gonnae go in fur a dook?

Anen Mr Gobbs gote up oan a boulder above the pool. Ee hud an emty ginger boattle in ees haun. Ee dipped it intae the burn an filled it up wae the Bovril-coloured watter. Anen ee went intae ees poakit an took oot five pound coins, an drapped thum wan bi wan through the neck intae the boattle a watter. Ee screwed the tap back oan anen ee made ees announcement:

Right! The first man who can dive tae the boattum ae the pool an retrieve the boattle – gets tae keep the fiver!

Ee launched it up intae the err an it landit right in the middle ae the pool. That wis it. Me an the wee man wur scramblin tae get tae a big boulder wher ye could get a good dive intae the Black Linn. Wanst ye hit the shock a the ice-watter it couldnae get any wurst, jist so lang as ye kep movin. Ye wid dive oot frae the boulder an hit the watter wae a skud anen silence.

Swimmin doon an doon, ye could feel slime oan the stanes oan the boattum, an ye felt aboot fur the boattle, but en yer lungs would start burstin an ye'd be lettin oot moothfaes a err an bubblin, gaspin, anen turnin up tae the surface again – tae cauld err an the clatter a the faws.

Try an try as we might we jist couldnae get doon tae it. We tried it wae Spencer divin aff ma shooders tae gie us an extra few feet, but ee still couldnae get doon. Anen we heard:

Right. Watch oot ya tubes!

It came frae above us an we looked up. Mairead wis oan this overhang aboot twinty fit up, doon tae ur t-shurt an scants. She looked doon intae the middle a the pool anen took aff. She hut the watter crisp an thur wis a few seconds passed, anen an errum appeared haudin the boattle anen Mairead's heid an she swam in wae it an goes:

Wuv no gote aw year waitin oan yous.

Da hud a brew ready fur us an we dried wursels wae wur jaickets an headit aff. At the tap a the Black Linn faws we could see a track an a wee white fermhoose an Da goes:

Ther's the Cochnae Road. Wu'll follae hit doon tae the Hardgate an get the Number Sixty-two hame.

A chill wis comin doon an the sun wis gettin lower awey ower the Firth a Clyde in the distance. Ah wis glad tae be walkin again tae get the blood movin. Ah took a shote a the haversack frae Da, tae burn up merr energy an get a heat goin in ma boady. When we gote tae the wee white fermhoose ther wis a padlocked gate wae bad wire aw coiled roon it. The gate wis surroundit bi coo-keech, pock-marked wae hoofprints, ther wis nae wey through. We could see that if we gote past the gate it wid take us through a wee coortyerd bi the hoose, an we wur jist staunin ther wunnerin whit tae dae when this gadgie came stormin oot. Ee hud a stick in ees haun an ees gaun:

Right! Get awey frae ther! Ya shower a Glesga tinks! Get aff ma grun!

Da shoutit back:

Awey you an raffle yer taffle ya auld nutter. Wur jist wantin doon the Cochnae Road.

But the fermer wis beelin. Ee hud a bright rid coupon an ee wis the perfect resemblance ae a bull, even the wey ee wis walkin, it wis exackly the wey a bull wid walk – if it only hud two legs. The wee snortin bull pullt a key oot ees jaiket an opened the padlock anen locked it ahint um again, an cam stormin ower the glaur in ees wellies shakin ees stick.

Get oot a here! Get back tae wher yez came frae!

An Da shouts:

Ur ye mental ur somehin? We startit oot awey ower at Stockiemuir.

An the bull goes:

Aye well yez can start back fur ther. Noo get goin!

Anen Mr Gobbs tried tae calm hings doon, goin:

Noo haud oan. Haud oan Mr Henderson ...

But ee breenged taewards Mr Gobbs wae:

Don't you Mr Henderson me! Ah widnae ken you frae Jock MacKay!

Mr Gobbs offered oot ees haun as if tae introduce issel, goin:

Jock MacKay, at yer service.

An we aw starts roarin an laughin. The wee bull-fermer wis turnt crimson wae rage. Ah imagined um wae smoke pourin oot ees nose, pawin the grun. Anen ee done somehin Ah've never seen the likes ae in ma puff, an probly Ah'll never see the likes again, even if Ah live tae a hunner. Fermer Henderson took a runny taewards Mr Gobbs, anen jist afore ee reached um ee jumped up intae the err, an ee shot oot ees barrel chist, an ee crashed intae Gobbs senior an knocked um fleein backwards. Spencer's Da bowled ower but ee wis still laughin, ee stood up an goes:

Ye're bananas ya auld bam ye! Ye're a psycho!

The fermer startit taewards um, goin:

Whit huv ye gote in that bag?

But Mr Gobbs pit wan fit in front ae issel, an drew back ees right errum in a threat an goes:

You touch this bag an Ah'll pan yer melt ya bam.

Anen the fermer breenged at me, startit wrestlin the haversack frae ma back, an ees goin:

Whit huv yez gote in this wan ya shower a thievin Glesga minks?

Ah held oan tae it, it hud the camera in it an ther wis nae wey Ah wis lettin go, anen the rest lunged in, an noo ther wis six perrs a hauns heavin at the rucksack, he hud the straps an we hud the bag, it must huv looked lik yon wean's story aboot the giant turnip, an wur daein tug-a-war wae the pack, an Da's goin:

Let it go ya nutter! It's nane a your business! It's jist wur stove an wur pot!

An we heaved to an fro, this way an that, anen a strap pullt loose through a buckle an Henderson went fleein backwards landin oan ees hin-end in the howlin keechy glaur.

We wur aw hootin an roarin an ee sprachlt up, ees breeks an ees jaicket clartit wae shite, ees coupon purple, screamin an swerrin, goin:

That's it! Ah'll get yez! Ah'll get yez!

Ah wis left haudin the haversack an Ah thote ee wis gonnae breenge fur mi again. We startit runnin back up the track, but ee didnae come straight efter us, ee went back an opened the gate again an went taewards the hoose an Mr Gobbs goes:

Bad news! Run! In the name a God, evrubdy run! Quick! This wey!

We cherged up a brae taewards a clump a trees, ower a dyke wae a string a bad wire, in taewards the trees an:

BANG! ... BANG!

We aw dives doon wae wur faces tae the grun, an heard the buckshot rippin through the branches above us. Da shouts tae get movin an wur up runnin again, anen:

BANG! ... BANG!

Five ae us, kissin the grun, an up again an runnin, the shots echoin acroass the glen ablow us. We ran till we hudnae a breath atween us. We heard another couple a gunshots in the distance, anen slumped doon in a wee hollow, pechin an shakin wur heids, an Mr Gobbs went:

Aye, ye cannae beat an auld Highland welcome.

But we could haurdly laugh fur wheezin.

Da said:

Keep movin. If we skirt ower this hill wu'll come tae the John Cochnae. We can get doon tae the Sixty-two terminus at the Fifely frae the John Cochnae.

We gote up again an headit alang the hill an Ah wundert who ur whit this John Cochnae wis. Ah thote mibby it wis a pub, but we wur still high up in the braes, ur mibby it wis a ferm cried efter somedae cawed John Cochnae, an if it wis, Ah hoped ee wis a sight friendlier than auld Henderson. We cam ower the shooder ae a hill an we seen a set a twin lochs, wan roon yin an wan lang yin, separatit bi a causeway. Da pintit tae the two lochs an goes:

That wan's the Cochnae an that wan's the Jaw.

An Ah realised it wisnae the John Cochnae, it wis the *Jaw n Cochnae.* We wur still puggelt frae the chase an Da reckoned we'd huv time fur a brew afore headin doon fur the last bus, so we reached the shore a the Cochnae an fired up the paraffin stove.

While the stove wis gaun we saw a couple a nice trout risin an Spencer's Da set up a rod wae the bubble an flea. Ee cast ower wan an gote a rise but ee didnae jag it. Anen Ah turnt roon an gote a fright.

Comin ower the tap ae a wee hummock alang the bank, Ah seen two giant antennae, gettin nearer, an Ah thote some giant insect wis gonnae come crawlin ower the hill. The antennae kep comin, bit ther wisnae an insect at the end ae thum, it wis two blokes werrin wax-jaickets an back-tae-front bunnets covered in fishin fleas, kerryin a fly-rod each. They stoaped when they seen us an wan a thum went:

Heh yous! This is a private watter! Yez ur poachin!

But Da shoutit back et thum. Ee'd hud enough runnin fur wan day, an ee gied thum a moothfae:

Away ya perr a mugs yez! Ther's nae such thing as poachin! That wis jist somehin made up bi Dukes an Lords tae deprive the people a Scotlan frae livin aff thur ain land. They wantit thum tae starve ur emigrate, so's they could huv aw the land tae thursels, so they made up a law, an 'at is how poachin wis inventit!

But wan antenna goes:

You're talkin through yer bunnet, filla! This is a Workin Man's club, ye don't need tae get aw Boalshy wae us. Ye'll no find ony Dukes here, jist lads frae the Fifely an Duntocher!

An Da knocks wan back in:

Aye well that's ferr enough, but wur fishin fur wild trout, an ther's no a law in Scotlan says ye cannae fish fur wild trout!

The other antenna spoke oot:

Wild trout yer heid! These ur stocked lochs – an we've gote tae pey fur it!

Mr Gobbs chipped in:

Save yer breath mister! Wur only huvin a brew anen movin oan. If it's any consolation tae yez we hud nae intention a comin ower this wey, it's only cause auld Henderson startit firin ees gun an we hud tae make a run fur it.

Wan fisher goes:

Firin ees gun?

Gobbs senior:

Aye. An ther wis buckshot rattlin through the branches jist ower wur heids. If we hudnae hit the deck ee wid huv turned us aw intae tattie-strainers bi noo.

The fisher said:

That man's a screwbaw! Ee fired that gun at me wanst an aw.

An the other fisher goes:

Aye, me an aw Hughie. Yon's a wrang-yin yon. Ee should be loacked up an the key flung in the Clyde.

Anen they sat doon an startit haein a cup a tea wae us, an talkin aboot set-to's a years gone-by wae auld Henderson. The four a thum blethert fur ages, anen the fisher cried Hughie gied me n Spencer n Mairead a demonstration a fly-castin, showin how ye raise the rod through ninety degrees an back, frae nine a cloack tae twelve a cloack, tae shoot the line. Anen we suddenly realised we better get a move oan if we wantit tae catch the last bus, an we packed up an breenged away doon the hill taewards the Fifely.

The dusk wis drawin in. A woodcock flew oot frae a pinewid, an faur ablow ye could see city lights twinklin intae life, spreadin fur miles an miles away ayont Lanarkshire.

14
WEIRD

As Ah lay in ma bed that night a ma birthday, aw the different visions frae the day played themsels ower an ower in ma heid. The wee man giein me the camera, the run in the van, the view a Loch Lomond, the cave, the flames a the stove, divin in the pool, the fermer, the Jaw n Cochnae. Ah couldnae believe it hud aw passed in a single day.

Anen Ah realised that Ah'd been oot wae ma Da aw day, dawn tae dusk, an ee hudnae oan wan single occasion said anyhin wis ma fault, neither when Ah snagged a line nur cowped a cup a tea oan the grass. Anen Ah realised whit it wis aboot wur day oot – evrubdy hud been happy – an withoot a single complaint, even when we wur gettin attacked bi Henderson an ee wis shootin ees gun, we wur still huvin a good laugh. It wis lik we'd been intoxicatit bi the fresh err.

Ah turnt ower tae go tae sleep, anen Ah hud the weirdest dream.

Ah wis oan ma ain, walkin through the streets a Drumchapel. The hooses looked giant an overpowerin an intimidatin, an cast big shaddas doon oantae the street. But as Ah walked oan, Ah realised that aw the hooses wur emty, an that thur wisnae a single soul in the place. Here an ther a windae wis open wae a curtain flappin, but ther wisnae sight nur sound ae emdae.

Ah kep walkin through the desertit streets an ther wis a terrible sadness aboot the place, an Ah knew Ah hud tae keep goin tae get away. Ah walked until Ah came tae a lang road stretchin taewards the country, an Ah follaed hit. In the distance Ah could see the road wis barred, an the gloamin wis fawin.

Ah startit tae hear a weird noise, anen Ah seen that the road wis barred bi a giant set a gates. Oan wan side, ther wis a pillar wae a heid carved oan it – an hit wis roarin an greetin. Oan the other pillar wis another carved heid, this wan wis roarin an laughin. Ah pusht at the gates but they widnae budge. Ah looked et the waw that ran alangside the gates, an a branch wis hingin ower it wae a huge aipple oan the end ae it, jist oot ae ma reach. Ah took a runny an tried tae grab the huge aipple, but Ah kep missin it, no quite reachin it. Ah fun an auld blackened pot, an pit it ablow the tree, an took a runny an sprung aff the pot an grabbed the huge aipple wae baith hauns an wrenched it frae the tree. Anen Ah took the aipple an Ah stuck it in the mooth that wis greetin, an so aw ye could hear noo wis laughin. Ah pusht the gates an they opened, an Ah walked straight through.

15
THE BLACK SWAN A DEATH

Somehow Ah seemed tae huv a natural kinna affinity wae the camera. Ah'd go an take photies aw roon aboot; the pylon, the Nolly, the Voulevard wae night traffic oan it. Ah hud this idea that a photie wisnae jist a photie, an wis much merr than jist a representation ae a scene. It wis merr yer ain personal view, an the camera wis yer eye, an if the wurld looked different at certain times through yer ain eyes accordin tae yer mood, then so should yer pictures through yer camera. Ah experimentit wae different lenses an shutter speeds an filters, an did ma best tae get ma pictures tae reflect how Ah felt at the time, an Ah captured big rainy skies acroass the roofs a Glesga, an fiery red sunsets west a Garscadden. Ah read books frae the library, an bought camera magazines, an went tae exhibitions doon the toon an checked oot the works a famous Scottish photographers lik Marzaroli an Annan. Marzaroli photographed Scottish folk an landscapes wae an epic atmosphere, Annan's photies a Glesga slums an closes in the Victorian age are masterpieces a precision.

The summer holidays wur due an me an Spencer wur plannin oot a few excursions. We oaften talked aboot swimmin in the Black Linn, an planned tae go back, as lang as we kep wursel oan the side a the Duntocher Burn furthest frae Henderson's ferm. In fact, it seemed lik everhin wis gaunae be jist hunky-dee – until Ah wis tae huv the encounter wae the shadda a Death, an that wid chynge hings fur a while.

It came tae mi in the shape ae a black swan. Ye see ther's an auld auld story, that goes when a black swan gets sighted oan the Nolly – or the Forth an Clyde Canal tae gie it its poash name – then Death is sure tae follae. Ther's a version a the story doon Dalmuir wey, that tells ae a pensioner couple oot fur a walk when they seen a perr a black swans oan the Nolly. They remarked oan it tae somedae oan the wey hame, an that night they were killed in a hoose fire. Ther's a few tales a the black swans doon in the village a O'Kilpatrick, an wan tells a four local boays gettin killed in an explosion in an ile refinery, efter four black swans hud been seen swimmin unner the canal brig oan Erskine Ferry Road.

That is why Ah couldnae believe ma ain stupidity fur photographin the black swan Ah'd seen oan the Nolly. It looked that beautiful, glidin through the rushes wae its rid beak an fan-tail, Ah already hud a few photies a wildfowl frae up ther; moorhens, teals an goosanders an the like. But insteed a walkin oan sherpish when Ah seen the black swan Ah gote fascinatit by it, an startit takin photies. Anen as Ah walked away Ah realised hoo crazy Ah'd been, an startit worryin masel tae distraction aboot Death. The light wis fadin, an Ah wis gettin terrified. Ah wundert who it wis gonnae be that wid be the swan's victim, an Ah mindit ther wis word goin aboot that Mr Gobbs wis in bother wae the Rooneys – the moneylenders – an that ee'd been tappin frae thum tae pey fur ees Lanliq. The Rooneys cherged impossible rates a interest tae folk that wur desperate enough tae borrow frae thum, an wanst they hud folk trapped in ther claws that wis that, they jist kep tellin thum tae pey oot merr money ur they'd kill thum. Da said they wur the scum a God's Urth, but ee said it saftly in the quiet a ees ain hame, fur ee knew whit they wur capable ae. Anen Ah worried aboot masel, mibby it wis me the black swan wid take, an the words ae an auld Glesga proverb echoed in ma heid:

Make the maist a life, cause ye might get hit bi a bus an be deid bi the morra.

Ah chidit masel fur photographin the swan, an Ah thote aboot takin the camera an throwin it in the Nolly in case Ah kerried the swan's curse hame in it, but Ah couldnae bring masel tae destroy Spencer's present tae mi. Ah took oot the roll a fillum insteed, an threw it intae a lock.

The follaein night, Maw wis sendin us wae a message doon tae Two-Ton Granny's hoose in Clydebank. Ah wis dreadin it. It wisnae jist that the black swan wis plaguin ma thoughts, it wis a'cause Ah dreadit walkin through Granny's scheme. It wis fine wanst ye wur in the hoose, she ayeways made ye welcome. It wis merr the comin an the goin. Ther ayeways seemed tae be somedae oan a coarner doon ther, huvin some kinna go et ye.

Ah taen Spencer wae mi, we gote tae Two-Ton's an rang the bell.

Come awey ben. Mind an take yer jaickets aff, an ye'll get the benefit a thum when ye go back oot again.

Ben we went an she gied us the customary daud a jam-roll an a cup a tea. We aw sat an nattered until it wis time tae go hame, an she seen us tae the door tae gie us wur jaickets an say cheerio.

It wis daurk as we wur walkin alang the road. Ther wis a bunch a lassies at the fit ae a flight a sterrs leadin doon frae a higher street. Aw ye could hear wis stupit laughin an shoutin, an aw ye could see wis Bucky an Hooch boattles glintin unner the streetlamp. So wur walkin by an this daft lassie's voice goes:

Heh youz. Youz ur frae that Crazy Brazy in't yiz?

An Spencer goes:

Naw man. Fur your information wur no.

An she howls oot:

AYE YEZ UR. AH KNOW YER FACES.

Anen Spencer says:

Naw wur no man beat it man.

She comes up tae us. She's taller than me, she's gote lanky herr, an a big rid face full a plooks that a tanker-load a Clearasil widnae cure, an she's baitin us:

Whit ur youz daein up here anywey? We rool here, we're the Lady Vanguard! Right?

Spencer goes:

Lady Vanguard? Whit's that hen, soap? Ye could be daein wae some.

She grabbed Spencer's jaicket an goes:

You're a wee rocket son.

An Spencer goes:

Clamp it, you're a big herry.

An she starts howlin an screamin:

CALL ME A HERRY? AH'LL BATTER YER DISH IN YA TUBE!

Ah goes tae ur:

You lee um alane you.

She comes up tae mi an roars in ma face:

LEE UM ALANE? YOU STEY OOT AE IT UR AH'LL DO THE TWO A YEZ SO AH WULL!

Ah went:

Get real bog-breath. Heh. Ur yer Maw an Da blind?

She goes:

WHIT D'YE MEAN? NAW. NAW. THEY URNAE. A'COURSE MA MAW AN DA URNAE BLIND. HOW? WHIT'S IT GOTE TAE DAE WAE YOU?

Ah goes:

Cause somedae's written yer name oan yer face in Braille ya plooky tart. Yev gote a coupon lik a roughcast waw.

She took aff ur shoe an cloacked mi wae the heel, decked mi, an Ah'm oan the grun, an Ah seen the rest a thum rushin Spencer, an wur crawlin alang the grun oan wur hauns an knees tryin tae get awey, an we wur that stupit we didnae want tae staun up an hit back because they wur lassies. We endit up lyin in a hedge, an ther batterin intae us, anen they stoaped an tapioca-features goes:

UR YIZ GREETIN NOO EH? AH TELT YOUZ BRAZY NO TAE COME UP HERE EVER AGAIN.

Spencer an me's tryin tae find a strong enough bit a the

hedge tae lever wursels oot, but wur flailin aboot, an the branches are aw bendin, an Spencer's goin:

Whit ye talkin aboot man? We don't come frae anywher near the Brazy.

So wan a thum goes:

That's a pure sin. Ther no frae the Brazy we battert thum fur nuhin.

Anen pus-heid went:

Naw we didnae they said Ah wis a pure plooky herry.

But the lassie goes:

Aye but it's still a pure sin they wur jist walkin alang the road daein pure nuhin. We cannae jist leave thum pure lik that.

An the talkin pizza goes:

Aye we pure kin.

The other lassie goes:

Naw we pure cannae.

Wur still lyin in the hedge an the sympathetic wan goes tae us:

Heh. D'yez want a drink?

Ah says:

Naw. We don't drink.

So meltit-wellie face goes:

HOW NO? UR YOUZ A PERR A WULLIE WOOFTURS UR SOMEHIN?

Ah went:

Naw. He disnae drink cause ees auld man's an alky an Ah don't like it cause it makes me boak. Ah cannae dae nuhin aboot it. It jist makes us boak.

Anen the meltit-wellie jumped oan mi wae ur knees in ma chest an held mi doon intae the hedge an goes:

AYE WELL AH'LL GIE YE A DRINK SON – SOMEDAE GIE'S THAT BUCKY.

The rest a thum breenged in. Nightmerr. It wis lik bein in this rubber dentist's cherr, an ther aw haudin us doon, an the hedge is swayin aboot unnerneath us, an she's gote ma neck in a throttle-grip, an somedae's pourin hot sweet stuff doon ma thrapple, an oot a wan eye Ah can see this green boattle wae a yella label wae a bunch a grapes oan it sayin:

Buckfast Tonic Wine

An Ah'm near gaggin an Ah cannae breathe, anen wan a thum's pourin a can a cider intae us, an Ah can hear Spencer moanin an thuv gote um an ther pourin bevvy intae him an aw, an ther aw howlin, an it's a total stramash, an ma heid's gettin battered an Ah'm gettin jagged bi the hedge an aw's Ah can hear is:

HIHIHIHIHI! ROCKET! WOOFTURS! GET MERR BUCKY! WARMURS! WINE! LEE THUM! PURE SIN! MENTAL! SHOW THUM! NAW! BEAT IT! AYAH! LEE THUM!

Silence.

Ah rolled oot the hedge doon ontae a slab path. Ah heard a shriek in the distance an Ah heard a boattle smashin. Ma heid wis dirlin.

Spencer.

Aw.

Spencer. Ye awright?

Aw.

We stood up, an the inside a mi felt lik the kiltie in the snowstorm oan Granny's mantelpiece, when ye turn the jaur upside doon, an aw the wee snowflakes birl aroon in the liquid. Ah could feel a giant boak comin oan, an Ah took a deep breath an it went back doon again. Spencer stood up an fell intae me, an we startit walkin alang the road, anen the road startit tiltin, an we held oantae wan another an Spencer goes:

Gilbert, Gilbert, whit happened tae us man? Help, big man. Ah don't like this man.

We hud wur errums roon wan another, breengin frae wan

side a the road tae the other, an Ah boaked aw ower the wee man's shooder, an ther wis spots in front a mi, an wan minute we thote we wur goin the right wey, an then the next we thote we wur goin the wrang wey, an we turnt roon an went back the wey we came, anen we wurnae sure an turnt roon an went back again.

We wur oan a set a steps climbin up a muddy hill, an we cowped ower oantae the mud, anen we looked up an seen a crowd at the tap a the steps. We couldnae go up cause we thote it wis them, an we went tae go back doon again, but we seen a crowd at the boattum. We seen a tree growin up the side ae a waw, an Ah gied the wee man a punty-up an ee somehow managed up oantae the waw, anen Ah hung aff the tree an tried tae climb up an fell back oantae the mud, anen again, anen somehow Ah wis pullin masel up oantae the waw. We dreeped aff the other side an fell intae wan another, it wis pitch daurk, ther wisnae a sound, the grun felt saft unner wur feet.

We held oantae wan another lik *Savin Private Ryan*, we kep bumpin intae hings, big black shaddas, bangin wur heids as we lurched furrit, ur stoatin wur knees an shins, then workin wur wey roon the shaddas intae a clear bit, anen bangin intae hings again, we wur blind men in a maze.

Anen somedae pullt the grun away. We drapped doon through silent err. Ther wis a bang. An blackness.

16
ASHES TAE ASHES

Ah woke up in a cauld chill. The grun unner mi wis damp, ma claes wur ringin wet an howlin a boak. Directly in front a mi wis this dull broon-rid colour, wae whit seemed tae be wee silver veins runnin through it. Ah thote mibby Ah'd been swallied bi some giant beast, an Ah wis inside its guts.

Ah heard a groan, an seen Spencer lyin next tae mi. A terrible white light wis comin frae above us, Ah glanced up intae it, it pierced intae ma eyes an ma heid poundit. Ah stood up an ma knees buckelt, Ah reached oot tae stoap masel fawin but ma fingers sunk intae the broon-rid stuff. It wis saft urth, an the silver veins were roots. Ah pullt the wee man up tae ees feet an goes:

Spencer. Wur doon a hole. Wu'll need tae get oot. Gie's a punty.

Ee gote up shiverin an shakin an we tried the punty. We kep tryin, but the wee man wis that weak frae the cauld, an that sick frae the forced-bevvy the herry gang hud plied intae us, ees knees jist kep bucklin an we kep fawin in a heap. Ah tried tae punty um, an ee wid get ees fit intae ma clasped hauns, but as Ah raised um tae ma shooder ee'd get giddy an faw again wae a dunt.

Ah'm sorry man. Ah jist want tae lie doon. Wur gonnae die here.

Ee lay doon in the urth an fell back asleep. Ah startit makin wee haun-hauds an fit-hauds tae try an climb up, an Ah fell back in a few times, but each time Ah gote that wee bit higher an scooped oot another wee daud, Ah could manage that wee bit better. Ah gote higher an higher, an at last Ah knew Ah wis gonnae reach the tap. Ah made the last haun-haud that Ah knew wis gonnae get me high enough, anen Ah scaled up. Ah gote ma eyes level wae the tap. Ah looked oot. Anen Ah seen it comin taewards mi.

They wur aboot fifty fit awey, headin straight in oor direction. Six men in suits wur haudin a rope each, the coffin swayed unnerneath thum as they kerried it taewards us. Ther wis a minister aside them wae a Bible unner ees errum, an a couple a geezers in toap-hats an lang coats. A procession a men an wummin in black ties an heidscarves wur follaein alang ahint thum. Ah jumped back intae the hole so's they widnae see me, but Ah could hear thur footsteps stoapin right in front ae us, an the coffin bangin doon oan the grun. Ah remember hinkin it must've been a right hefty bod in the coffin.

Anen Ah heard the words:

Let us pray.

They startit up the Oor Faithers an hud gote as faur as ther Daily Bread when aw ae a sudden:

HELP! SOMEDAE LET ME OOT A HERE! AH DON'T WANT TAE DIE!

The wee man hud woke up wae a fright an wis hollerin. Above us Ah could hear aw these gasps, an a wummin howlin an greetin, anen some blokes stood ower us lookin intae the hole, the maist beelin lookin faces Ah've seen in ma puff.

They threw doon coffin-cords an pullt us oot, they gote a grip ae us an ther goin:

Whit d'yez hink yez wur daein in ther? Eh?

An a voice went:

This is a disgrace! Somedae get the polis!

Wan ae thum hud a haud a Spencer's jaicket – an ee's tryin tae run away an ees wee legs are goin lik the Roadrunner an ee's yellin:

It's no oor fault man! We gote chased an fell in! A gang wis gonnae chib us! Wuv been doon ther aw night man! Honest tae God mister! Don't get the polis! Please!

They hud us surroundit in a circle an ther wis nae wey oot.

Somedae asked the minister if ee thote they should get the polis an the minister says naw, that they should jist get oan wae the funeral. They let us go, an we startit doon the hill through the gravestanes that we hud been clunkin wur heids an bruisin wur shins oan the night afore. We wur makin taewards the cemetery gates, an this wan bloke came efter us fur a wee bit an ee's goin wae ees voice aw hushed doon:

If Ah ever see the perr a yous again it'll be yer ain grave yez ur in!

Aye. An bi the time Ah gote hame Ah wis gonnae be wishin that Ah wis deid an birrit. We went tae Two-Ton Granny's an she'd been up aw night cause Maw hud phoned lookin fur us. She sent us hame in a taxi, an Ah says tae Spencer:

Who's gonnae believe us Spencie? Who's gonnae believe us that big lassies done it an ran away?

An Spencer goes:

Whit are we like big man? Whit are we like?

17
THE BLACK CRAWS A DELIRIUM

Da an Mr Gobbs grilled us, anen Da grilled some squerr-slice an let us huv somehin tae eat. Me an Spencer wur ben the kitchen eatin, an through-ben the livin room Ah could heard Mr Gobbs jestin wae Da:

Heh, Erchie. Ah wunner if thae punters at the funeral thote that wis the boady in the coffin gaun – Gonnae Somedae Let Us Oot?

But Da wisnae fur laughin.

An yet Ah wis kinna relieved. Relieved in a sense that Death hud come an gone, that we'd encoontered that deid boady in Clydebank cemetery, an mibby noo the curse a the Nolly Black Swan widnae descend oan Pylon Road, an hopefully Mr Gobbs, ur emdae else fur that matter, wis gonnae be awright.

But ther wis wan hing that wis definitely settled in ma mind. Ah wis a tube an that wis that. A boarn tube. Ther wis nuhin Ah couldnae dae that didnae turn intae some kinna disaster.

Even me an the wee man's trip tae swim in the Black Linn wid turn intae a shambles, when a mob frae Duntocher came an ran away wae aw wur claes. We hud tae wait until it wis daurk, sneakin hame fur miles alang fields an gowf courses an railway banks – Spencer covered bi a Woolworth's plazzy bag an me bi a fertiliser sack – nearly destroyin wur faimly prospects oan every bad wire fence frae the Duntocher Burn tae Garsadden.

Maw n Da went total bananas, Ah'd loast a bran-new set a claes an trainers, an the next day Ah wis sent away back tae search fur thum. Ah scanned every inch a grun frae the Black Linn tae Duntiglennan, Ah even hud a scout through

Duntocher itsel but it wis hopeless. Ah wunnert whit Ah wis gonnae dae if Ah'd bumped intae emdae werrin thum, an how Ah wis gonnae prove it.

Ah jist couldnae win. It wis impossible. Ah walked hame alang the Voulevard, imaginin this big finger comin doon oot a heaven an this big God's voice goin:

Gilbert MacGlinchy – ye're a tube.

When Ah gote tae Drumchapel flyover Ah could hear mee-maws. Ah crossed oantae the joggers' path oan the centre carriageway tae see whit wis happenin up aheid. Ah seen blue lights an heard polis sireens, an ambulance anen the fire-migade. They wur hurlin doon frae Anniesland direction, an Ah seen they wur fleein aff the Voulie intae Sunnyside, headin taewards Pylon Road. Some weans wur oot runnin efter the mee-maws, an Ah sped up masel an startit runnin taewards it.

As Ah veered aff the Voulie Ah seen aw the stramash wis comin frae the direction a ma ain street, an Ah sped up even merr, but then Ah slowed right doon jist afore Ah turnt the coarner, worried whit Ah wid dae if ther wis somehin wrang. Anen as Ah turnt intae Pylon Road Ah heard words that sunk ma haill wurld:

Erchie MacGlinchy's up oan the pylon. Ee's gonnae jump aff an commit sidieweys.

The street wis thronged wae punters, an Ah looked up, an Ah seen this tiny figure awey, wey up, wae ees errums stretched atween the spars. The sireens hud stoaped, ther wis silence, Ah heard this distant voice goin:

Mairead! Gilbert!

Mr Gobbs pullt mi intae the hoose, an Maw wis et the fit a the pylon lookin up, an we looked oot the windae, an the firemen wur cuttin awey some bad wire oan the pylon, an they startit tae climb up the rungs, an Mairead wis ther in the livin room roarin:

Daddy, Daddy, whit ur ye daein up ther?

An we looked up, an a fireman wis gettin wee-er as ee climbed, anen ee reached Da, a bit a time passed an it seemed lik ages, anen the fireman hud a haud a Da, an ee wis pittin somehin roon um, a rope, ee passed it doon tae ees mates, an Da an the fireman shimmied roon tae the rungs, an Da startit climbin doon, an the fireman wis above um climbin doon, an a bunch a firemen wur comin doon ablow thum, an they gote tae the boattum, anen a polis breenged furrit, an ee gote Da an ee pit ees errum up ees back an pit um in a caur, an the caur drove away wae the sireen gaun tae part the crowds. An Maw came in tae get ur hings tae go efter um an Ah wis roarin:

It's ma fault Maw.

But she didnae stoap she jist kep gaun an flew oot the door, an Mr Gobbs wis walkin up an doon shakin ees heid, an the piana lid wis up, an ther wis a hauf-drunk cup a coffee oan the coffee table, an a *Glesga Herald* wis oan the shelf unner the coffee table, an ther wis a crossword puzzle book lyin in a cherr, an Mairead wis lyin oan the settee wae ur heid buried an greetin, an oot the windae the folk wur aw startin tae stream away back tae whit they wur daein, an the last fire-migade left, an somedae wis staunin gawkin in oor windae, an Mr Gobbs opened it an said:

Right you – shift.

An Ah looked at the crossword book an Ah looked at the *Glesga Herald* an Ah looked at the piana lid, an Ah looked at the *Glesga Herald* an Ah looked at the piana lid an Ah looked at the crossword book, an Ah looked at Mr Gobbs an Ah looked at the hauf-drunk cup a coffee an Ah looked at the crossword book, an ma heid wis birlin, an Ah wis aw fullt up wae confusion.

Maw cam back oors later an telt us Da wis in the hoaspital gettin checked oot, but they'd said ee wisnae in a dangerous condition, nae way wis ee in a dangerous condition. She telt us everhin wis gonnae be awright. She telt us Da hud taen some kinna flakey, but she wis convinced ee hudnae been tryin tae commit sideyweys, nae wey she says, no yer Da, definitely no.

Ah ast Maw if she thote it wis aw a'cause a me, a'cause Ah'd went missin oan the wey hame frae Granny's, anen loast aw ma new claes up the Black Linn, an a'cause Ah wis a disappointment tae ma Da, an a'cause Ah wisnae much cop at anyhin, an she telt me tae stoap bein such a tube.

Ah went tae ma scratcher, but Ah couldnae get a doss cause ma confused emotions an aw ma weird dreams were melled thegither. Ah slipped intae a hauf-sleep anen woke up greetin an roarin lik a bamstick, sittin up goin:

Open thae Girnin Gates! Gonnae somedae open up thae Girnin Gates?

18
SAILIN TAE GREECE

Da gote hame efter a few days, ee wis shaky an quiet, an 'at wis 'at.

Ah hud decidit it wis time fur mi tae leave hame, though Ah hud nae idea wher Ah wid go. The electric trains frae Westerton went as faur as Balloch ur Helensbra, ur somewher cried Drumgelloch if ye went in the other direction, but that didnae sound very appealin. Mibby Ah could get a train tae Balloch, an head up Loch Lomondside, an mibby get a joab as a forester ur a shepherd ur somehin. Ah thote Ah'd like tae work oan the hills, that wid be magic, an Ah doubted whether emdae wid check yer age tae see if ye wurnae sixteen yet.

But Scottish nights wur freezin, even in the summer, an Ah hudnae even a tent, jist a blanket Ah wis gonnae take wae mi. Anen Ah mindit oan wan a the boays that hud furst-fittit us et the New Year alang wae Connor, wan ae ees student pals frae Langside College. Ee hud been tellin evrubdy how ee'd spent the summer holidays ower in Greece, oan an island, an it hud been magic. Ee'd gote a joab in a chippy, sellin fish-suppers an deep-fried Mars Bars tae the bevvied-up British holiday-makers. Ee only hud tae work at night, an ee spent ees days slummin it oan the beach, eatin Greek salads an yoghurt in aw these wee tavernas, an ee says ee widnae huv touched the chippie grub wae a barge-pole, cause ee wis a vegetarian. Ah wundert how much money ye needit tae get tae Greece, an how ye gote ther.

Ah read up oan Greece in the library, an fun oot it wis the maist amazin country oan the face o the Urth, an if it hudnae been fur the Greeks we'd probly aw still be oot spearin wild boars an paintin wur boadies, cause they wur responsible fur kick-stertin Western civilisation, an passin it oan tae the Romans. Thoosans a years ago they inventit the theatre, government, laws, they hud philosophers an doactors, the country hud a warrum climate an beautiful landscapes. Some nights Ah wid lie in ma scratcher an dream a masel lyin unner olive trees, hearin the ocean thunnerin aff a reef away ablow mi.

Anen wan day Ah wis oot fur a dauner alang the Rothesay Dock at Clydebank, an Ah seen this ship. A crane wis clawin scrap metal frae inside it an drappin it oan the quayside. Ah couldnae believe whit Ah wis seein. The ship hud the flag a Greece at the stern, an big Greek letters paintit alang the side.

That wis it. Ma mind wis made up. Ah only hud a couple a quid scraped thegither but Ah wis gonnae go fur it, Scotlan wis drivin me mental. Anyhin hud tae be better than gettin ambushed bi the Lady Vanguard, sleepin in graves, sneakin hame berr-bummed wae a fertiliser bag coverin yer nick-nacks – ur seein yer auld man huvin a mental brekdoon up a pylon. Ah didnae even let Spencer in oan it, Ah wis gonnae jump the ship fur Greece. Greece wis wher it hud come frae, an Greece wis wher it wid be goin back.

Ah gote the haversack frae the hall press an pit in ma blanket an some sperr claes. Ah rifled the pantry fur scran, an fun some cheese, a packet a Digestives an a block a blackcurrant Rowntree's Jelly. Ah stashed the haversack unner ma scratcher, an went tae bed wae ma claes oan. Ah waitit till aboot wan in the mornin anen dreeped oot the windae.

Ah wis buzzin wae pure emotion as Ah set aff in the direction a Yoker wae the pack oan ma back. Ah wis startin oot oan a great adventure, Ah wis daein it fur masel, an when Ah came back years later Ah wid amaze ma faimly wae aw ma stories a whit Ah'd been up tae. They wid be beelin wae us at furst, but they would realise it wis jist somehin Ah'd hud tae dae, an ther wid be nae haurd feelins in the end. Infack, they would be proud ae us.

Ah hit the cycle-path at Kelso Street, an walked oan taewards the docks, knowin that ma disappointment wid be immense if the ship hud left withoot us. But as Ah crossed the tunnel wae the Yoker Burn gurglin unnerneath, Ah could see the funnel a the ship, an ma hert leapt wae excitement.

Ah sneaked doon, an crept alangside the big mountains a scrap till Ah gote near tae the ship. The gangplank wis doon, an ther wis naebdy aboot, so Ah made a brek fur it up the gangplank anen sneaked alang a deck. Ah heard a voice speakin a strange language behind a porthole, an Ah made fur a lifeboat at the stern a the ship, an liftit the canvas an climbed in an cooried doon inside. Ma breathin wis fast an excitit, an Ah whispert tae masel:

Ah done it. Ah done it Ah done it. Man. Ah done it.

Ah pullt the blanket ower mi, an hud a Digestive biscuit an tried tae get some sleep, bit the excitement wis burnin through us like a hunner zillion volts a electrickery oan the pylon. Ah heard Clydebank Toon Haw cloack strike two, an it chimed a wee tune every quarter, an when it gote tae the oor it wid chime oot the time as well. It went tae three. Anen four. Anen five. Ah hink Ah fell asleep atween hauf five an quarter tae six, but ther wis nae light, it wis pitch daurk unner the heavy canvas.

Ah woke up, an Ah knew it wis daytime cause every wee while ye'd hear a jet drappin in tae land at Glesga Airport oan the faur side a the Clyde. Ah waitit fur night again, an Ah heard the cloack chimin seven. Ah fell asleep again, an when Ah woke up Ah nearly let oot a cheer an gave the gemme awey, fur Ah could hear the drone a the engines, an feel the movement unnerneath mi as the ship glidit through the watter.

Ah et the biscuits an hud a nibble a cheese, an chowed two blocks a the blackcurrant jelly. At wan point Ah could feel the ship heavin a wee bit, an Ah wundert if we wur gonnae hit rough watters, if we wur mibby oot in the Atlantic, an whit it wis gonnae be like when we gote tae the notorious choppy watters a the Bay a Biscay.

Ah slep again an woke up stervin an finished the grub. Ah didnae know night frae day an Ah didnae kerr. Ah slep an Ah woke. Ah woke an Ah slep. Ma gut went through different stages a hunger, bitin hunger an boak-feelin hunger, anen Ah wid feel awright, no hungry at aw. Ah felt a bit weird, anen Ah mindit oan this Ken Russell fillum Ah'd seen wanst up the GFT cried *Altered States.* It wis aboot this bammy scientist experimentin wae somehin cried a *sensory deprivation tank,* tae see whit effect it wid huv oan ees mind. Ee went intae the tank an deprived issel a light an feelin, an gote so disorientatit by it ee went intae a trance an hud aw these weird visions. Inside ma heid in the lifeboat, Ah began tae see ma ain mental visions, an at wan point Ah thote ther wis this giant lizard sittin aside mi talkin away tae mi, smokin an Embassy Regal, an askin if Ah'd heard the latest weather forecast. Ah jumpt up wae a shock, but Ah didnae know whether Ah'd been dreamin ur hallucinatin. Ah fell asleep again, an when Ah woke up the ship hud stoaped.

Ah keeked oot the rim a the canvas an the daylight wis blindin, Ah bade tight until it wis daurk. When the daurk fell, Ah stuck ma heid right oot an Ah could see harbour lights an these giant squerr-shaped crans, real foreign-lookin, no lik Clydeside crans at aw. Ah could still hear the odd voice so Ah waitit until ther wis silence, jist the hum a machinery in the dock. It wis quite warrum, an Ah reckoned Ah wis mibby in the Greek port a Pireaus. Ah baled oot the lifeboat an made a breenge fur the gangplank, boonced doon it an tore acroass the dock wae ma haversack. Ah headit fur some bushes, then made ma wey ower waste grun till Ah gote tae a fence. Ah jouked the fence an slept in a bush.

When mornin came the sky wis a bright blue. Ah looked oot frae the bush an seen that the big squerr crans wur part a this giant dock, the biggest maist humungous dock Ah'd ever seen, an yet ther wis only wan ship in this whole dock. The sea stretched away frae it, an Ah could see the fringe ae a wee sandy beach surroundit bi pine trees, an ayont that through the haze wis an island wae a sierra, a rocky ridge, runnin alang the tap a the mountains. Ah pullt the haversack oan an made ma wey oot frae the bush.

Directly afore us rose this giant ugly buildin, frontit wae concrete an gless. Ther wur gravel embankments runnin here an ther, an aw these rusty railway lines that met at a junction. Ther wis steam pumpin oot the buildin. Ah fun a desertit road.

Ah walked alang the desertit road, an at the end ae it wis a sign held up oan rusty poles, clartit wae aboot an inch a grime. Ah took the blanket oot the haversack, an wiped an wiped at the sign until Ah could see tae read it, an the sign said:

British Steel/Southern Scotland Electricity Board

Hunterston Ore Terminal and Nuclear Power Station

North Ayrshire/Scotland Rail Link

All vehicles report to the gatehouse on arrival

Ah fell doon oan ma knees unner the sign, an Ah wis gonnae greet, but Ah couldnae. A ripple a emotion rose up frae ma guts tae the back a ma throat, an when Ah boaked it oot it wisnae a greet – it wis a laugh. Ah jist startit laughin an laughin, an Ah rolled aboot the grun fur ages in this desertit industrial Errshire wasteland, near wettin ma breeks. Ah wis laughin that much, evry time Ah tried tae staun up Ah wid faw doon laughin again an pointin up at this sign, an Ah lay oan ma back kickin ma legs up in the err, an if emdae hud been passin they wud surely huv thote that Ah wis pure stone ravin mental doo-wahl cuckoo awthegither.

An mibby they wid huv been right.

Ah cam tae a busy road, an Ah walked alang the verge wae caurs an lorries rummelin by. Ah seen a discardit settee ahint a gate an hud a doss oan it. Ah gote up an startit walkin again, anen seen a steeple in the distance, an cam tae a toon cried West Kilbride. Ma legs wur bucklin wae hunger, an Ah wis gonnae fun a shoap an get pies an mulk an choaclit, anen Ah remembert Ah'd convertit aw ma money intae drachmas.

Ah fun a train station, wae a screen oan the platform sayin ther wis a train due fur Glesga Central via Dalry. Ah jumped oan, an every time Ah seen the clickie comin Ah'd jouk up the train, ur get aff at a stoap an run doon the other end an get oan again. Another clickie gote oan at Johnstone an nabbed us, an says ee wis gonnae radio the railway polis an gie thum ma description. Ah baled oot at Paisley Gilmour Street an ran doon the sterr. Ah ran oot frae the station acroass County Squerr taewards the post oaffice so's Ah could chynge back the drachmas, but the door a the post oaffice shut in ma face jist as Ah reached it, right oan the stroke a six.

Ah walked miles through Paisley oantae Renfra Road, anen walked the length a Renfra till Ah came tae the ferry back acroass the Clyde tae Yoker. Ah asked the Captain if ee'd take Greek money, but ther wis only a machine oan the ferry an ye hud tae huv **Exact Fare Only** an ee telt us tae beat it. Ah fun a street coarner next tae the Ferry Green, an pit ma blanket doon an sat oan it. Ah pit a wee plastic cup doon in front a mi, lik the homeless boays an lassies ye see sittin in shoap doorweys up the toon, an any time emdae passed Ah went:

Any sperr change?

But they jist looked the other wey, ur gawked et us wae contempt an shook thur heid an walked oan. The wee ferry chugged atween Yoker an Renfra – The SS Backnfurrit ma Da caws it. Ah seen a wummin comin taewards mi wae a wee dug, an Ah thote Ah wid try somehin different. Ah stood up oan the coarner an sang 'The Bonnie Bonnie Banks of Loch Lomond', an the wummin stoaped an goes:

Whit ur ye daein son?

Ah goes:

Ah'm buskin missees.

She goes:

Whit fur?

Ah goes:

Ah'm needin ma ferr acroass the Clyde.

She guddled intae ur coat poackit an pullt oot some shrapnel an coonted it oot tae make up ma ferr, an when the ferry cam in Ah went doon the slipwey oantae the deck, pit ma ferr in the machine an the Captain goes:

Wher tae? Corfu?

Ah looked et um wae a glower an goes:

Naw. Jist take mi tae Yoker thanks.

As the wee boat crossed atween Renfra an Yoker, Ah looked up an doon the river, an Ah thote ae aw the hopes an dreams that the river hud held fur folk ower the centuries. Be they geniuses ur middle-men ur jist folk workin tae get by. An as we approached the Yoker wharf, tae wan side ae it wis the giant generator that sent electrickery up intae the overheid cables, an tae the other side wis wher the factory hud been wher Da hud startit ees furst joab. It's jist hooses ther noo.

An as Ah walked up Yoker Ferry Road a great truth suddenly struck mi. It wis such a weight oan mi that Ah hud tae sit oan a bench tae hink aboot it. Ah suddenly hud this terrible, terrible feelin that Ah hud let masel doon. An it wisnae jist a'cause the trip tae Greece hud been a disaster, an Ah hudnae gote any further than Errshire, Ah hud laughed aw that aff unner the sign an it didnae matter any merr. Naw. It wis merr than that. Whit Ah realised wis that Ah hud desertit ma faimly at a bad time, an that they wid be up the waw bi noo worryin aboot mi, an God knows whit effect it wid be huvvin oan ma faither. This wisnae aw aboot me bein an adventurer. It wis aboot me bein a crapper.

Anen another terrible hing struck mi. Ah realised that throughoot aw this time, through aw the shenanigans ower the months an years, that Ah'd never really gied that much thote tae ma Maw. Ah thote then oan how in oor hoose ther wis ayeways good grub oan the table, mornin, noon an night, an how Maw worked as haurd as she could tae keep us in claes an trainers. When she could afford it, ther wis ayeways a pound ur two fur mi tae get tae the Multiplex Cinema, an she gied mi money fur fillum fur the camera. Anen Ah thote … the camera! Ah hudnae even packed it tae take tae Greece, which shows how much ae a thoteless tube Ah must've been when Ah left. Imagine traivelin the wurld withoot yer camera! An Ah startit tae feel really emotional, an Ah even wundert if Ah wis gonnae greet. Somehin else hud driftit intae ma heid. It wis the sound ae aw the voices singin roon the piana at New Year.

Bit Ah didnae huv much time tae dwell oan that. A gang a boays Ah didnae like the look ae wur headin taewards us oan the bench, an they croassed the road when they seen us, an Ah startit walkin awey, alang Dumbarton Road toonweys.

Ah could hear the clatter a thur feet gettin closer ahint mi, an Ah sped up, but they didnae seem tae be gettin any further awey. Ah veered intae Dyke Road, an as soon as Ah gote roon the corner Ah broke intae a trot, but ma legs wur gey weak. They roondit the coarner an ran efter us up the brae taewards the railway. Ah jouked doon a set a steps taewards the train depot, an ran alang atween two trains in the sidins. Ah jumped up oantae a step an tried pressin a button tae see if a carriage door wid open, but ther wis nae power in the trains, they wur lyin idle. Ah hid ahint a wee bothy an waitit a while. Ah couldnae hear any voices ur steps so Ah came oot. The boays wur aw staunin roon the front a the bothy. Naebdy said anyhin. A boay walked furrit wae somehin in ees haun, it looked lik a rusty iron baur. It hud a barley-sugar pattern oan it. Ee swung it an caught mi a dull yin oan the heid. Ther wis a flash a lightnin ahint ma eyes. The lights went oot.

19
BLUE MOONLIGHT

Ah remember blue moonlight. Ah wis in this place wher ther wis only blue moonlight. Ye couldnae see another livin soul, an ther wis nae voices, jist this kinna harmonic note that rang aw the time. Ye couldnae feel yer boady, ye jist felt yersel static, floatin in this blue light, wae the wan note playin.

Wherever Ah wis, ur hoo long Ah wis in that land a blue moonlight, Ah'm no sure. Ah remember the blue light eventually gettin thinner an thinner. Ah remember the music gettin fainter an fainter, an beginnin tae feel bits a ma boady, lik ma errum joints an ma ankles an ma neck, as though Ah'd been dismembert an scattered aboot. Ah hud a terrible throbbin in ma napper. Ah heard distant voices, anen they fadit awey, anen a while later Ah heard thum again, an they wur stronger, an ther wis shadows aroon mi. Ah opened ma eyes an Ah could see Da an Mairead, an Ah wis in a bed, an ma Maw wis tae wan side, haudin ma haun, an Ah heard Mairead's voice goin:

Look. Gilbert's wakenin up.

Ah groaned an Maw squeezed ma haun an Da leaned ower us, anen they fadit awey.

The next time Ah woke ther wis only ma Da in the room, it wis in a hoaspital an ee went fur a nurse. She came an examined us an says tae ma Da that Ah wis much better. Ah ast ma Da whit'd happened an ee says that Ah'd hud a fractured skull. Ah'd hud an oaperation an Ah wis gettin better. Ah tried tae tell um whit hud happened an wher Ah'd been – an ee said that didnae matter any merr, an that nuhin else mattered, excepin Ah wis awright an makin a recovery. Ma heid wis lowpin an ee gote us some pain-killers.

The next day ma faimly came wae Mr Gobbs an Spencer an Spencer goes:

Good tae see ye Gilbert. Look at ye man. Ye're a sight fur sore eyes.

Ah goes:

Whit d'ye mean?

Ee goes:

Take a look at yersel big man.

Maw gote us a mirror, an Ah seen that hauf ma heid hud been shaved lik Friar Tuck, an ther wis a big Mars Bar wae stitches runnin alang it an Ah goes:

Aw naw Spencer! Ah look lik Ah've hud a herrcut frae yer auld man's razor-comb!

An evrubdy eruptit.

20
CHASIN THE CRAWS

Maistly ma faimly wid come visit durin the day, an Da wid come back issel et night an sit oan a cher at the end a the bed. Ah wis in fur weeks, an Ah startit lookin forwart tae gettin the crack wae ma Da in the evenins when the hoaspital wis quiet.

Ah telt um aboot mi goin doon the Rothesay Dock an stowin awey oan the ship, an how it wis a Greek ship, an how Ah thote Ah wis gonnae end up in Pireaus ur somewher, but it hud only travelled frae Clydebank tae Errshire.

But Da says ee wisnae that surprised, cause that wis the wey shippin worked nooadays, that ye wid normally get a ship frae somewher in the wurld workin somewher else, even if it wis jist shiftin scrap atween Hunterston terminal an the Rothesay Dock. It wis probly a Greek ship wae a Russian captain ee says, an mibby a Filipino crew, ur as cheap a labour system as they could poassibly get.

Ah telt um how Ah thote Ah'd landit in a port in the Aegean sea, efter seein the island oot in the ocean haze wae the sierra, an ee laughed an says that wid've been Arran. Anen Ah ast um aboot the day ee wis up oan the pylon, cause Ah really needit tae know why ee'd climbed the pylon yon day.

An is wis ma Da's story.

Ma Da hud gote scunnert wae life. Pure an simple. Ye see, it seemed lik ee wis never able tae git a fit oan the ladder lang enough tae steady issel up, an wanst ye're oot a work fur a lang time, then yer will tae succeed kin get kinna sapped. It wisnae that ee craved fur anyhin material, lik a computer ur a wide-screen TV, these kinna hings didnae really matter tae um, a'though mibby a caur wid've been nice fur weekend trips. Na.

Whit ee really needit wis steady work. Ther wis folk roon aboot wid mibby git a joab somewher lik B&Q, ur guys lik Danny Belshaw that wur workin oot in the North Sea, but Da jist couldnae seem tae crack it. Ee gote scunnert, an ee gote lethargic.

Mr Gobbs tried tae tell um it wis a'cause a the pylon, an the hunner zillion volts a electrickery, an that ther wis too much electromagnetism an somehin cried ionisin radiation in the err, an that this wis makin people depressed. Ee says it could even cause leukemia, but ther wis scientists an lawyers employed bi the power companies that hud been daein thur damndest tae hush it aw up fur years.

Da's mind gote troublt, so ee decidit tae tell the doactor aboot it, an the doactor prescribed um pills. Ah didnae know it, that Da hud been takin these pills fur years, wans tae see um through the day, wans tae help um sleep et night.

Anen ee telt us it wis oan the day a ma birthday, when we went oan the great hike acroass the braes frae Stockiemuir tae the Cochnae, that ee hud felt a kinna new energy in um. Mibby it wis the fresh err, mibby it wis lookin doon oan Loch Lomond, mibby it wis the laugh we wur huvin, but as we marched ower atween the Bakers Loch an the Lily, Da made a conscious decision in ees mind thet ee wid stoap takin thae pills the doactor kep prescribin um, cause ee felt they wurnae daein um any good. When ee gote hame ther wis still some left an ee thote – right Ah'll take thum till ther done, an wanst the boattles ur emty, that's it. Feenisht.

Ee'd taen the last a thum yon day me n Spencer hud went tae the Black Linn an gote wur claes blagged. Ee wis feelin right edgy that night, an didnae sleep. The next day while Ah wis away back at the Black Linn ee wis in the hoose issel, an ee felt desperate restless. Ee tried playin the piana, ee tried the crossword book, ee made some coffee, but ee jist felt lik ee wis oan nettles, an that ees nerves wur janglin. Ee wis pacin up an doon, an up an doon, an ee looked doon et the flerr, an ee seen this snake windin acroass the carpet an oot the livin room door. Ee felt sweat brekkin oot aw ower ees boady, an ee wis aboot tae let oot a scream, anen ee looked oot the livin room windae. Ther wis an Alsatian dug in the gerden, fixin a gaze oan um that chillt um wae fear. Ee startit roarin, an ran intae the gerden tae chase the dug, but ther wis nuhin ther. Next ee heard a crawin noise an looked up – an ther wis a giant flock a craws up oan the cables. Ee wis convinced they wur gonnae herm um an ee let oot a scream, they ris up frae the cables, an seemed tae aw gether thegither in the sky intae wan giant black craw, an is wis even merr desperate than the first two visions a the snake an the dug.

The craws broke loose an startit swirlin roon the pylon, an awey, wey up oan the pylon, ee thote ee could see me an Mairead, hingin oan surroundit bi the craws.

Ee startit climbin up, ee really did believe ee could see me an Mairead up ther, an ee wantit tae save us, an aw the time ee wis suffrin frae these nightmerr visions, cause ee'd suddenly stoaped takin the anti-depressants an the sleepin tablets, but ees boady an ees mind wur goin:

We want thae drugs. We NEED thum. Ye cannae stoap takin thum jist lik that – cause this is whit ye'll get – VISIONS an WAKIN NIGHTMERRS.

The next hing ee knew the fireman wis up ther, an the fireman telt um everhin wis aw right, that me an Mairead wur safe, an they startit comin back doon.

It hud turnt oot that it wisnae aw that uncommon fur folk tae go doo-wahl comin aff these drugs, an efter a few days, wanst ma Da's system wis clean, ee began tae see an hink merr clearly. Ah telt um aboot mi seein the giant lizard in the lifeboat, an we laughed, an agreed that we wur a right perr a bammers.

The next day Spencer cam tae see mi, an ee telt me somehin

that made me happy fur um. Ee telt us ees Maw hud made good progress, an that she wis much better noo, an that ther wis good hope that she wid be comin hame soon. Mibby we wur aw chasin thae craws – the black craws a fear an unreason that roost deep in wur imaginations. Mibby we wur aw startin tae shove at thae Girnin Gates.

21
SCORSESE

The day Ah came hame frae the hoaspital they'd gote us a present, it wis in a boax oan the livin room table. Ah unraivelled it an Ah couldnae believe whit Ah wis seein. They'd gote us a video camera. Da says:

Well, Gilbert. Ye're a great photographer. Noo ye kin be a great movie-maker.

Ah wis ayont the moon.

If Ah'd studied cinema afore Ah studied it even haurder noo. Ah took in aw the fillums Ah could, baith at the GFT an the Clydebank Multiplex, an some fillums Ah watched ower an ower oan video.

Ah startit readin fillum reviews. Ah wisnae sure masel how ye defined a good fillum, it wisnae somehin Ah felt ye could really dae bi explanation, an ma ain personal benchmark ae a good fillum wis wan that remained wae ye fur days efter, an ye ran bits ae it ower an ower in yer heid. *The Seven Samurai* is unforgettable, an the scene frae *The Godfaither* when Al Pacino goes tae a restaurant tae blooter somedae wae a gun knocks yer hert intae yer ribcage wae pure tension. Ah like aw different hings. Ah enjoyed a Brazilian movie cried *Central Station*, an Ah love the auld Ealing Comedies.

Ah startit knockin thegither some scenes wae the video-cam. Ah made a wee local fillum that startit wae a still photograph a the Girnin Gates that Mr Gobbs hud telt us aboot, demolished in the 1960s. Ah hud managed tae find a good photie a the gates up at the Mitchell Library. Anen me an Spencer went doon tae Drumchapel an interviewed auld folk in the street, an asked thum aboot ther memories a the Girnin Gates. They telt us stories aboot goin ther oan picnics years ago, an how the magnificent auld gates hud been known in Glesga as a wonder a the wurld. Anen we asked folk tae talk aboot life in Drumchapel an Garscadden nooadays, auld folk an young folk, an recorded it. Folk talked aboot aw sorts a hings; thur romances an thur faimlies, folks that came an went, mad characters, hoosin an politicians, gangs an drugs, good times an no-so-good times. We fillumed different local scenes – the boarded-up shoppin centre, streets wae nice new hoosin developments, the hauf-condemned street frae the night a the fog, wher we fillumed at six in the mornin in case we gote chased again. We fillumed Pylon Road an did interviews wae folk in front a the pylon – wae Mr Gobbs goin oan aboot excessive magnetism an ionisin radiation. When the video wis aw edited doon, wae theme music an titles, an we wur happy wae it, we premiered it in the hoose.

Mr McShane wis that pleased wae it ee took a copy tae a meetin a the Drumchapel Historical Society, an it gote a special showin at the community centre. An so in thurd an fourth year at schuil Ah became known as the guy that made movies, an they gied us a nick-name – Scorsese.

Efter the success a ma wee documentary fillum *The Girnin Gates*, it became ma ambition tae make a feature fillum. Ah heard aboot night classes in screenwritin up at the Ramshorn Theatre an Ah enrolled fur thum. Ma winter wis taen up learnin how tae construct fillum scripts, an aw aboot how fillums wur produced an funded. Ah decidit tae write ma ain original screenplay, an sat fur nights oan end sterrin at a blank page, no huvin a clue wher tae start. Ah needit inspiration, Ah needit a story. Anen Ah remembert Spencer tellin mi the story ae Argyllshire John.

22
ARGYLLSHIRE JOHN

It's a funny hing, the haill time ees maw wis in the psychiatric hoaspital Spencer never talked aboot it. But efter she wis hame a while ee wid sometimes tell us aboot some a the characters that wur patients up ther. Argyllshire John hudnae spoken a wurd in near sixty years.

The story wis that ee hud volunteered fur the army at the ootbreak a the Second Wurld War, an hid hud a terrible fight wae ees brother the day afore ee left. Ees brother ye see hud been the rebel a the faimly, a faimly wae a tradition a military service. Ther auld man hud been an officer durin Wurld War Wan, an the brother hud brought thum shame bi bein called up fur military service an refusin tae go – whit they caw a conscientious objector – this hud been the cause a the conflict atween the brothers, they'd hud a terrible fist-fight in a back-street in Lochgilpheid the night afore John marched awey.

That wis John's last memory a ees brother. Ee sailed tae war an wis involved in fierce fightin in Egypt. Ee'd gote detached frae ees mates durin night-time gunfire, ee'd loast ees rifle an hud taen refuge in a shell-crater. Durin that night, ee'd felt the maist terrible loneliness, an ee forgave ees brother because ee loved um, an ee thought oan ees Maw n Da. Ee thought back oan Argyllshire wae its trees an lochs an seas. Ee remained still an silent, feared that ee wid be shot if ee made a move. When dawn broke ee seen a movement, an realised ther wis somedae else in the crater. This person hud a different uniform frae his, German, an they sterred at each other as the light slowly grew, each terrified tae move. John seen that the sodger wis jist a boay, sixteen at the maist, but the boay seen that John didnae huv a gun, an ee raised ees rifle et um. Argyllshire John leapt oan um an stranglt um.

When peace wis declared John returned hame, a man barely copin wae the horrors a war. Ee landit in Leith then returned west, but when ee gote hame ee discovered ees Maw n Da hud passed awey within a day a wan another, an ees brother hud left fur Australia. Noo ee hud naebdy in aw Scotlan. Ees hert finally broke for ever. Ee traivelt tae Glega oan fit, an became a tramp, an wis admittit tae hoaspital no lang efter. Ee lived inside ees ain shell, an never spoke a word since 1946.

But Argyllshire John hud become famous aroon the hoaspital. Ee wid sometimes disappear fur days, an evry time ee disappeart this is whit wid happen. Ee wid go among some trees somewher lik an auld railway sidin – an build issel a wee shelter frae branches an polythene. Ee wid scout aboot an find some wid, an ee wid sit ther workin wae a knife, makin aw these wee widden carvins. The carvins wur beautiful, deer an eagles, ponies an salmon. Somedae frae the hoaspital wid be sent oot tae find John, an they wid take um back alang wae the amazin carvins, sometimes they displayed thum oan the ward. This went oan fur years.

Ther wis a consultant cried Doactor Aitken, an ee wis so intrigued bi John's condition ee traivelt oot tae Argyllshire tae see if ee could get tae the root a this, an ee asked aroon pensioners' hooses an auld folk's homes efter ees patient, John Campbell of Lochgair.

Doactor Aitken wis tae learn that when John an ees brother hud been boays, ther greatest pastime wis huvin wee competitions tae see who could make the maist beautiful carvin wae a knife. They wid be seen aw day oan the shore carvin driftwid, or up in the forest carvin fallen branches. That wis Argyllshire John.

The story stuck wae mi. Argyllshire John widnae be the story a ma fillum – Ah wid've needed a budget a millions tae make a fillum lik that – but it wid be the inspiration. Ah wantit ma fillum tae be aboot the madness an loneliness in the wurld, but how ye could haud oan tae some wee memory ur object tae help ye survive.

23
SHOOT

Ah wis walkin alang Sauchiehall Street – ur Sausage-Roll Street as ma Da might say – when Ah wis suddenly struck bi the absurdity a life. Ther in the middle a the precinct wis this big booth, aboot the size a three phone-boaxes stuck thegither, an oan it it says:

Public Safety Booth – Emergency Rescue

Ah walked roon it, an discovered it wis fur emdae that suddenly fun thersel in danger frae nutters. Ye pressed a button, an the doors opened anen slammed shut ahint ye. Ther wis a video-screen an phone linkin ye up tae the polis station, so's ye could contact thum an explain yer position. Ther wis **EMERGENCY** buttons inside, presumably in case the nutter made it in alangside ye, an the booth wis frontit wae armour-platit gless. Ah looked up at the buildins an lamp-posts, an seen CCTV cameras evrywher. Anen ma ideas startit tae come thegither fur the screenplay.

Ah wrote it an showed it tae Alison, ma screenwritin teacher. Alison hud been a fillum producer as well, an wis really excitit aboot ma script. She telt us she'd been lookin fur a script because ther wis some money available frae the Clutha Film Foundation, an asked mi how Ah wid feel aboot us applyin fur fundin. Ah wid provide the script, she wid pit thegither the application an wid be the Producer.

Aye! Ah says. *Oan wan condition. As lang as ye let mi direct it!*

She'd seen ma photies an hud seen *The Girnin Gates* documentary an agreed, as lang as Ah wis prepared tae take a bit a guidance. We submittit wur fundin application, anen a month later we gote the reply. Ah wis ayont the moon bi a million miles. They'd agreed the fundin.

The fillum wid consist a baith movie-camera an video-cam shots. We pit everhin thegither, Alison hired a production team, Spencer gote a joab as Third Assistant Director, which meant ee wis a bit ae a gofur but ee loved it. We cast the fillum usin two professional actors, plus Connor an ees mates frae the drama course. They wur aw in ther final year noo, an well-up fur gettin a movie part oan thur CVs. Ther wis a part fur a wee lassie, an we gote the McShanes' grand-daughter Jessie. Jimmie Deans leant us ees van tae get atween locations, a minister let us use ees church, an the Cooncil agreed tae let us use Sausage-Roll Street precinct atween two an six in the mornin Monday tae Wednesday. We wur cookin bi gas.

The shoot wis a hoot, a'though it wis dead stressful makin sure everhin wis done right an everhin wis in place at the right time. Ah wis in ma element, workin oot how tae get the maist impact frae each scene, talkin hings oot wae Alison an the camera crew an Lightin Gaffer. Ah haurdly slept fur a fortnight, frae wakenin up hinkin aboot how tae improve this scene ur that scene. Efter it wis fillumed an edited we aw looked forward tae the premiere – which wis tae be at the GFT at nine a cloack oan a Setterday mornin.

24
BEGINNINS AN ENDINS

They wur aw ther et the GFT. Maw. Da. Featherweight an Two-Ton. Mr an Mrs Gobbs. Alison, the actors, the production team. Mr an Mrs McShane an Jessie, even Scobie. Boays an lassies frae schuil. Mairead wae a guy! Evrubdy dressed up tae the nines lik it wis a right special occasion. Ma knees wur knockin thegither an ma guts felt lik Granny's piper ornament again, a'though thankfully it wis nerves this time an no Bucky an cider an Hooch.

The lights dimmed, the curtain rolled back, the projector lit up, the chatter in the cinema died tae a hush. This wis it.

Classical guitar plays. We are in the back ae a black-hack taxi as it goes alang, lookin back at an auld Victorian buildin nestled at the fit a the hills. There is grey light in the sky, mist touchin the hilltops.

The Gates
A Film by Gilbert MacGlinchy

Credits continue. The music fades. We are lookin through a giant set a iron gates, jist as a man shuts thum an locks thum wae a key. Ahint the gates is the auld buildin. A woman looks through the gates at the buildin, a black-hack draws alangside ur. She climbs in, hauns the driver a note, ee looks et it, hauns it back tae ur, drives aff. We are seein everhin through this woman's eyes. She looks oot the back windae an we re-visit the openin scene, the recedin buildin, the mist oan the hills. She is lookin at the note in ur haun, places a key oan tap ae it, an grips thum in a fist. She shuts ur eyes an we visit ur memory.

Inside a church. The congregation are endin a hymn, they sit doon, the minister talks frae the pulpit:

Our day is clouded with sadness, but the light of joy must never be far from our hearts. On this day, in this church, as we sing our very last hymn, let us remember with gladness and gratitude those who have gone before us. Since the opening of this institution, one hundred and fifty years have passed. In its passing we remember the men and women who lived and worked here, those who toiled and those who triumphed in their own way, those who suffered, and those whose life it was to care and understand, to enlighten. Highfield Hospital, once a world name in psychiatric care, will tomorrow close its doors for the last time. As I look around this congregation, I see not parishioners, nor doctors nor nurses nor patients, only the faces of friends. But we are an old institution, past our sell-by date I believe is the current term, and we look to new methods, to new ways, in a more enlightened and understanding community. I invite you to join me in our old favourite, Psalm Number Twenty-three, 'The Lord Is My Shepherd'.

They stand up tae sing. There is nae sound, we see thum in silence, mouthin the psalm, studyin ther faces as we move alang the pews, we come tae the woman, singin silently, timidly, lookin feared, her haun clutchin somehin aroon ur neck, jist under the toap ae ur shirt.

The door ae a terraced hoose is seen behind a gate. The taxi draws up ootside. She steps doon, lookin at the note tae check the address. Her haun is seen oan the gate, openin it. Her haun has the key an puts it in the lock a the door.

We are in a newly fitted-oot flat. Everhin is new an shiny, unused. The front door bangs shut, gies ur a fright. She sees an emty errumcher. An emty couch. Wan cher bi a table. She looks frae wan tae the other – cher, couch, table – couch, table, cher, again, it feels dizzy, panicky. She runs tae a bedroom. Ther's wan single bed. She starts tae pull oot drawers, everhin's emty.

Runs tae the kitchen. Opens a unit door. Wan cup. Wan bowl. Wan plate. Faws tae ur knees. Cries. Cries an cries an cries.

Ootside. Daurk. She's oan a railway platform, lookin at the rails. A train rolls in, blue sparks flash frae the overheids. She boards the train. City centre. She's wanderin frae street tae street. Ur progress is picked up bi video-cam frae different aerial angles, wae the date an time oan it, lik security camera footage oan *Crimewatch*. She gets tae the precinct an ther's a riot goin oan – drunk guys hollerin – ther's this mad joustin contest, wae two guys inside wheelie-bins ermed wae scaffoldin poles, an ther mates runnin an smashin thum intae wan another.

Movie camera. A boattle smashes beside ur fit, she runs, runs, sees the riot comin alang ahint ur – comes tae the emergency booth. Presses the button an breenges inside, slams the door. A can a lager batters aff the glass, white froth pourin doon, somedae laughs wae thur face squeezed against it. She presses the video-link tae the polis station, sits oan the stool an lifts the phone. The screen fizzes intae life, but insteed a the polis, the screen flashes up a scene frae ur childhood.

She's oan a riverbank in the sunlight, it's beautiful, she sees ursel as a wee lassie, at a picnic wae ur Maw an Da. Ther laughin an playin. It fades oot, she pits ur haun against the screen, then rattles the video-link button an it comes back tae life. Jist the wee lassie an ur Da this time. Ther walkin alang a road. The wee lassie's hirplin, she faws ahint um shoutin *Da, Da, Da*. The faither stoaps an walks back, pulls the wee lassie's shoe aff an takes a wee stane oot the inside an laughs, anen hauns ur the stane. She looks et it, a perfect wee roon pebble, an pits it in ur poackit.

The screen fades tae nuhin, she rattles the button, the phone receiver, nuhin happens, everhin's deid. The riot can be seen, but no heard, through the gless oot in the street.

She clutches at the toap ae ur shurt, an draws oot a wee leather pouch. She opens the pouch an inside is the wee stane.

She takes aff ur shoe an pits it inside then leaves the booth.

She's walkin past the riot. She's hirplin a bit. But it's lik she's invisible, an walks right through thum unhermed. She looks merr assured. She comes tae a croass wae streets goin four different weys. She looks at each street then turns aff intae wan, heads aff. Traffic lights chynge at the croass. The classical guitar music comes back in. The credits start tae roll. The music fades.

A Girnin Gates Production 2003
Funded by The Clutha Film Foundation

The fillum wis ower. Ye could've heard a pin drap. The silence seemed tae last fur ages, but it wis probly only a few seconds. Somedae startit tae clap. Evrubdy startit tae clap. Somedae roared. They aw roared. Whistles. Stampin. Screams. Ah thote the plaster wis gonnae faw frae the ceilin.

They gote mi up front, an the boays an lassies frae the schuil startit up:

GIL-BURT! GIL-BURT! GIL-BURT!

Ah dragged Spencer up an they chantit:

GOBBSY! GOBBSY! GOBBSY!

An Ah laughed cause it soundit dead funny, hearin thum aw goin *Gobbsy* – an Ah decidit then that Ah wid start cawin um Gobbsy again.

An that wis it. We fun oot aboot how tae submit fillums tae the Cannes Festival, we did it in the short fillum category, an we gote shortlisted fur an award.

Ah'm Gilbert MacGlinchy an it's aw ma fault. Ah'm sittin unner a palm tree wae a freezin gless a skoosh. Ma story began wae a ragin Atlantic storm an endit bi the calm Mediterranean watters. Ah wunner whit'll happen tae mi next?

But that's enough fur noo. Ah've hud that minny ups an doons, an that minny disasters in ma life, ther's a ferr chance that ma story might've stoaped at a tragic bit, an no huv hud a good endin at aw. The wurld kin be a dangerous place, Ah've gote a cracked skull an an aversion tae graveyerds tae prove it.

Ah've never solved the mystery a thae Girnin Gates we seen the night a the fog oot Pendicle Road. Whit wur thae? Mr Gobbs is adamant ther's nuhin ther. Wan day Ah'll go back an huv a look.

But Ah'm stoapin hings right here. This is the right place. Ah can dae that if Ah want. Ah'm the director. It's ma story.

It's ma movie.

LOON

SHEENA BLACKHALL

Bit o luck wis it nae, the skweel veesitin the Hame las wikk, an me findin oot that Syd Paterson, their newest pensioner, wis ma verra ain Granda!

"It's affa guid fur teenagers tae learn aboot anither generation," Plug McAndrew the English teacher telt us. "We dinna pye eneuch attention tae senior citizens. We can learn a lot fae them if we jist takk time tae listen."

When Donnie Paterson discovers his missing grandfather in a retirement home, he thinks it might be the start of better times for him and his family. But then tragedy strikes at home and Donnie becomes a target for bullies at school. Can a strange story told to him by Auld Syd, and a winter break in the Highlands, come together to help him solve his problems?

Loon is written in North-East Scots by Sheena Blackhall, author of many collections of poetry and short stories, and Scottish Arts Council Creative Writing Fellow (in Scots) at the Elphinstone Institute, University of Aberdeen.

***Double-Heider* is jist that – a twa-heidit book wi twa stories inside it. Turn it tapsalteerie tae read aboot *The Girnin Gates* by Hamish MacDonald.**

LOON

Sheena Blackhall

First published 2003
by Itchy Coo

a Black & White Publishing and Dub Busters Partnership
99 Giles Street, Edinburgh EH6 6BZ

ISBN 1 902927 72 9

A CIP catalogue record for this book
is available from The British Library.

Cover design by Freight

Printed and bound by Nørhaven Paperback A/S

PART 1

June

Bit o luck wis it nae, the skweel veesitin the Hame last wikk, an me findin oot that Syd Paterson, their newest pensioner, wis ma verra ain Granda!

"It's affa gweed fur teenagers tae learn aboot anither generation," Plug McAndrew the English teacher telt us. "We dinna pye eneuch attention tae senior citizens. We can learn a lot fae them if we jist takk time tae listen."

Auld Syd didna ken me fae the butcher's dug, an me his ain flesh an bluid. He'd niver clapped een on me afore, didna even ken I existed, didna even ken my Da wis merriet. My Da niver lets dab aboot fit he did as a bairn. He ay said ma Granda wis deid langsyne. Shows aa he kens. His heid's fu o mince.

It wis the Matron fa spottit the connection. "Is yon nae jist uncannie?" she said. "Here's young Donnie Paterson fae the Academy sharin a cuppie o tea wi oor Syd, as if the baith o them wis best freens. Same last name, same fernietickles, same hook neb an jug lugs – Bonnie Prince Charlie lugs – same ..." An syne, somethin clicked on in her heid, like traffic lichts lettin an idea ging through. "Did you iver hae ony faimly hereaboots, Syd?" she speired.

"Ay. Ay I did," quo the auld man. "I wis a fisherman fin I wis young. I merriet a quine in the toun o Aiberdon. A bonnie wee thing. Bit she ran aff wi a larry driver fin she wis sax months pregnant, an they gaed tae bide in the clachan o Newbiggin, three miles ooto the toun, aboot hauf a mile fae here, in fact. I heard efterhin she hid a loon, Danny Paterson ... gaed bi the byname o Digger. Niver met him, tho. Better aa roon. Jist confuses bairns, haein twa Daas. Thocht it wis better tae bide awa, let them get on wi't."

Weel, I couldna believe fit I wis hearin! Digger Paterson's my Da! Auld Syd wisna tae ken that Granny Paterson an her larry driver boyfreen war baith killed in a crash fin the cab skytit on

blaik ice comin hame fae a run doon tae Glesga. It wisna Auld Syd's wyte that my da wis fostered oot. Auld Syd said he niver merriet again, didna trust weemin efter thon, jist gaed back tae the trawlers tae earn eneuch fur a dram an a tinnie o roll ups fin he cam back onshore efter a trip tae the fishin gruns. Bedd bi hissel up a tenement stair fur the last thirty year. He said the maist excitin thing that iver happened tae him apairt fae gaun tae sea wis gettin a pair o silk pyjamas through the door ae day fin a postie mistook his address fur that o a young Dutch lassie across the lobby.

Some o the ithers in my class didna like the veesit tae the Auld Fowk's Hame, they said it gaed them the heebie-jeebies it wis that quaet, nae muckle soun bar the tickin o the wag at the waa. They thocht it wis like bein in a greenhoose. Some o the quines didna like the smell o the place, a cross atween laundry, disinfectant, an auld bodachs' swyte. Bit I likit it. I likit the quaet. I've a younger sister an brither at hame an they're ay fechtin. Fin Da cams hame fae the pub blootered, Ma an him argy-bargy an skreich at ane anither like a TV programme ye'd raither nae watch, bit ye canna switch aff aa the same. Sae I likit the quaet o the Auld Fowk's Hame – it felt safe.

An I likit Auld Syd, cause he listened, ye see, like I maittered, like he really really winted tae hear fit I wis sayin. Like fit I wis sayin meant somethin, even if it wis anely blethers aboot skweel or weather or fa beat the Academy fitba team last Friday. The time fair flew by. I fand masel tellin him foo I wintit tae be a vet, aboot Ashley Higgins, aboot the vandalism doon at the kirk an foo aabody blamed me bit it wisna …

I think the clincher, the decidin factor that gart me wint tae gae back, cam fin the Matron brocht roon the custard slices. I hate custard. It ay minds me on budgie's keech. I canna thole it, niver could, bit it's ma sister Leanne's favourite. An fin my Ma makks custard, I hae tae eat it even if it gars me cowk.

Last wikk Da'd bin wirkin late. Whiles, he stauns in as a security guaird at a warehoose ooto the toun. He'd dane a stint

as barman at the howf in oor clachan, The Blaik Bull, afore that. I suppose he wis weariet. I suppose he wis scunnert wi haein tae pye bills, he girns aboot it aften eneuch. He's niver tired o sayin fit a gran life he'd hae if he didna ay hae his haun in his pooch fur trainers, or skweel ootins, or bills – in short, if he wis still single wi nae bairns roon his neck like a millsteeen.

He cam in the door as Ma wis gettin torn intae me fur nae ettin the custard she'd made fur the tea.

"I wirk lang oors tae feed you, ye thankless wee vratch," he said. "Ye'll eat fit yer mither pits doon in front o ye or ye'll sit at thon table aa nicht."

Ma wee brither Craig suppit his custard an ran tae Da tae get a bosie an climm on his knee, an Leanne feenished hers quick smert an wis playin wi her dallies at Ma's feet, fin Da pued a hauf o fuskey fae his jaiket pooch an cowped a big slug o't inno his mug o tea. A *birse cup*, he caas it.

"See him, yer big loon," he said tae my Ma (he ay makks oot I'm nae his bairn fin he's roosed, it's niver "oor loon", ay *hers* …), "ye've got him spyled, clean connached. He's as muckle gumption aboot him, thon ane, as a burst tyre."

I sat awa at the table glowerin doon at the custard, watchin it growe three skins an a beard, tryin nae tae cowk, keepin ma een doon on the tablecloot. I'll be fowerteen on ma birthday, bit I'm sma fur ma age an Da's sax fit an braid wi't, sae I dinna wint tae catch his ee, tae set him aff, like a Halloween squib. He sookit awa at his toddy, whiles puffin at a fag wi ae haun an bosie-in wee Craig wi tither, whiles lookin ower at me dowpit doon at the table glowerin inno the bowl o cauld custard. Efter a while, the fusky took the jeel aff his temper. He set doon his birse cup on the mantlepiece, grun the heid o his lichtit fag in the ashtray an lowsed the pynts in his richt buit.

"Eat thon custard, ye wee bastard," he threatened, "or sae help me I'll stot this buit aff yer lug."

I niver luikit richt or left. I jist kept lookin doon.

"Defy me, wid ye? Ay weel, we'll see aboot that, my lad."

He wis gettin hissel wrocht up, spylin fur a row. I widna gie him ane. I hate rows. He tuik anither lang swig fae the mug o toddy, set Craig aff his knee, crossed the fleer in twa strides an afore I could jink awa, he grippit me by the scruff o the neck an shoved ma hale face splat inno the custard. Hauf o the sticky weet soss gaed ower the table, the lave wis stukken tae ma een, neb, moo an hair.

"I'll gie ye custard, ye picky wee bugger," quo he. "I pye fur the meat that's doon on the table afore ye. Bit oh no, wir boyo here disna like it. Nae fancy eneuch fur ye? Nae jist tae yer taste? No, I suppose it's nae. Raither hae a Chinese cairryoot mebbe, like yer wealthy wee pals fa's Das wirk affshore in the ile? Get yer girnin face ooto ma sicht. Go on. Shift yersel afore I *really* get goin. Ye dinna deserve tae sit wi the rest o the faimly. Get yersel upstairs tae yer room an bide in't."

His voice raise fae a gurr tae a roar. I kent I should hae moved faister. He gaed me a skelp on the lug in passin, that gart the side o ma heid dirl an stoon. Richt efter, a wee treelip o bluid cam ooto ma lug far his neive hid beltit me. I could see Ma wis feart kind at thon.

"Ye'll makk him deef or daft if ye dinna haud aff him, Digger," she said as she follaed me up the stairs wi a weet cloot tae dicht awa the bluid.

"There noo. Aa better. Richt as rain. Nae hairm dane. Ye brocht aa thon on yersel, Donnie," she continued. "Ye shouldna roose yer Da. Ye ken foo hard he wirks. It's nae easy bringin up faimly. Bide ooto his road till the morn's mornin. Ach, there's naethin wirth watchin on TV onywye the nicht. Ye can catch up on yer Maths assignments up here. An if yer quaet, eence aabody's beddit, ye could ay creep doon the stairs an makk some toast."

Sae fin the Matron at the Auld Fowk's Hame brocht roon a platefu o custard slices, I cooried doon.

"Loon, if ye dinna like the custard slices, ye can hae a hett scone," Auld Syd said. "Naebody here's gaun tae makk ye ett

something ye dinna like. I winna eat noodle soup, it minds me on suppin wirms, an I get sandwiches insteid on noodle soup days."

An he smiled, like it wis jist naethin nae ettin the custard slice, like it wis OK nae tae like somethin.

I decided then I'd gae back tae see Auld Syd masel, withoot the Academy, withoot bein telt tae. Nae as a "good deed" or a "special intergenerational project", bit jist cause he wis kin. Furthermair, I decided nae tae tell my Da aboot Granda, fur he jist spyles aathin. The Hame's a quaet place. Da wid anely cause a stooshie an raise a din. He could cause a row in a teem hoose, fecht wi his ain shadda, my Da. Auld Fowk are like crystal glaisses, affa easy broken an Da's got a talent fur brakkin things, a real gift.

The lave o the fowk in the Hame war sittin in a circle slumpit ower cheers like a wheen pot plants needin watterin fin I walked in, bit Granda wis sittin in a neuk o the Day Room, his glaisses doon at the eyn o his neb, teetin at the papers.

"Veesitor fur ye Mr Paterson," the Matron telt him. "It's thon loon again, yer grandson …"

I tuik in photies o the faimly, tae show ma Granda fit we aa luik like, even tho he hid a job mindin ma name, even tho the Matron telt him three times my name wis Donnie.

"Fit kinna name's 'Donnie'?" speired Granda. "Foo dae fowk nae christen their laddies Sandy, or Dod or Jimmy, nooadays?"

He caas me "loon", bit I dinna mind really. It's the wye ye spikk tae a body that maitters, nae the label ye gie them, in't it!

He pit doon his paper richt aff, like he wis really pleased tae see me.

"I'll bring you twa a fly cuppie," said the Matron an aff she gaed at the trot.

"An nae custard slices," cried Granda efter her. "The loon here disna like them."

I'd gaen tae the Hame richt fae skweel, wi the photies in ma skweel bag.

I tuik oot a photie o ma faither, first aff. I thocht that anely richt, seein's he wis Granda's anely son.

"Sae yon's yer Da, is't?" quo he. "Digger Paterson? Ay, that wid be richt. He'd be aboot thirty-five noo. An haudin doon twa jobs y'say … security guaird an barman? Bit ye didna tell him aboot me?"

I shook ma heid. I didna wint Da tae spyle this fur me. I wis feart Da'd makk a feel o me like he usually dis. I wis feart he'd turn Granda against me, an ye wint at least *ae* body in yer faimly tae like ye, div'nt ye noo?

"He's a big brosie kinno a chiel," quo Granda. "Nae a shilpit wee craitur like you or me."

"Fit's shilpit, Granda?" I speired.

"Sma boukit …on the wee side. Na, yer Da's like his mither's fowk. He disna favour my side ava. They war aa muckle hefty breets the McKays. Bruisers, ye ken. Nae that yer granny wis hefty fin I kent her, bit her fowk war, the McKays ay rin tae fat."

Some o fit Granda comes oot wi is gey queer. I thocht on a hale heeze o McKays rinnin efter a side o fatty bacon an I leuch.

He pit ma Da's photie doon on the table like he wis playin a game o patience. I showed him a pictur o ma mither. Her name's Margo. She's a year aulder than ma Da. Wirks pairt time at a hairdressin salon in Aiberdon, so whiles I've tae childmind ma brither an sister.

"Nae bad fur the age o her," quo Granda, like he wis spikkin aboot a dug or a shelt. "Bit ye've taen efter me in luiks. The Patersons war aa fernietickelt, wi jug lugs."

Neist, I tuik oot a photie o Craig an Leanne. Craig's sax an Leanne's eleyven, an ane's as bad's the ither fur argy-bargy. We aa share a room, tho at near fowerteen I should hae ane tae masel, bit there's nae eneuch cooncil hooses tae ging roon wi aabody buyin them noo, like cherry-pickin the best. Craig an masel hae bunk beds, me on tap an him aneth. Jist as weel, cause whiles he weets the bed.

"Thon twa takk efter yer mither," Auld Syd grunted.

I showed him a photie o Granny Menzies, mither's Ma. I dinna like Granny Menzies. Ye canna hoast in her hoose or she'll be dichtin awa the germs wi a cloot. Ye've tae takk yer sheen aff at the door an nae finger the remote control an nae takk shotties o her mobile phone. Granny Menzies says teenagers are aa druggies an drunks an sex mad forbye an nae tae be trusted twa meenits in a decent hoose, or they'll be eein up yer video an CD tae cam back an chore them fur fags or glue or fitiver. Granny Menzies dresses young fur her age … as young as Ma … nae that Ma's young, bit ye ken fit I mean … like media fowk, fashion-conscious, ye ken.

"Auld wifies fa dress as young as that should iron their face, first," quo Granda. "It maun gie men an affa shock fin she turns roon an they see she's saxty-five if she's a day … Dis she ay look as if she's sookin a nippy sweetie?"

Weel, I hid tae lauch richt oot then, cause she dis.

The hinmaist photie I showed him wis o ma dug Fox. Fox is a reidishy-broon Alsatian. Da bocht Fox as a pup fur Leanne, bit ye canna buy a dug's affection, an he disna like Leanne, he anely follaes me.

"He's nae your dug, he niver will be your dug, he's yer sister's dug," Da says, fin he wints tae wind me up. Bit I dinna care, cause I ken it's a lee.

"I hid a futterat fin I wis your age," Granda telt me. "Bit I didna ging rubbitin wi't. I keepit it as a pet."

I telt him my Da gaed rubbitin eence a month in the poachin season. He keeps a shotgun in the cubby at the tap the stairs. It bides in a box, alang wi his cartridges. He took me wi him eence, gart me haud the shotgun, pynt it at a rubbit, pu the trigger, fire … It lat oot a lood crack an kickit back, near caain ma shooder oot o its socket. I hit the rubbit, first shot. I didna enjoy it. The crack o the gun fleggit me. "Beginner's luck," Da said. He tuik me up tae see the rubbit. It wis lyin on its side, kickin an kickin, its een rowin roon in its heid, makkin mewin souns, bluid frothin in wee bubbles ooto its mou.

"Weel, feenish it then," he telt me. Bit I couldna, I jist couldna. He liftit a steen an chappit it ower the heid, an its harns spirkit up ower ma sheen. Syne he steepit his hauns in its bluid an dichtit my face wi't. "That's ye bluided noo," quo he. "Yer first kill."

I telt ma Granda I didna feel prood at aa, killin the rubbit. Fox disna kill either, he's a muckle spyled pettit lump. He dis chase rubbits, bit he niver catches them.

Bi noo the care wirkers wis spreidin fite cloots ontae the tables fur the evenin meal. I couldna bide langer wi Granda onywye, cause I'd tae be hame afore teatime tae let my Ma dae an evenin shift at *Hair by Claire*, the Salon far she wirks. She canna rely on Da tae watch the littlins, cause Friday's his nicht oot. Sae it wis doon tae me as usual, or they'd be rinnin wild aa roon the clachan. Mrs McGillivray neist door'd promised tae len me a video o cartoons tae keep them quaet, sae it micht be easier nur usual, bit I'd far raither hae met ma pals doon in the squar, tae skateboord or jist fur a news an lauch an a bit o a cairry-on.

The Hame's a mile an a hauf fae my hoose, an the rain wis stottin doon fin I left it, sae I wis sypin fin I ran up oor pathie, jist eneuch time tae let Fox oot tae pee ower the washin pole afore Ma'd tae set aff tae wirk.

I'm thinkin I'll manage tae see my Granda twice a wikk efter the Academy skails, an they micht let me takk him oot in his wheelcheer like a gweed library buik some wikkeyn, jist him an me, sae he can meet Fox an get a whiff o fresh air. I micht even chore some o Da's best whisky, tae gie him a wee scoof fur a treat. Fit dae auld bodachs dae fur treats? Fit dae they think aboot? Fit dae they like … or dinna like? I dinna ken. Mebbe I should speir. Auld Syd's the first auld body I've iver really spent time wi.

July

I wish that clocks could rin backwirds, bit they canna, they canna, they canna. June wis sic a gran month, tae . . . Ma's oors war cut at the Salon – nae eneuch trade – sae fur aince I'd mair time tae masel. I even managed tae takk Auld Syd oot fur twa oors, tae meet Fox an takk a turn roon the park. I couldna takk him langer because I hinna the strength tae lift him fae his wheelcheer an takk him tae the lavvie. I'd hae dane that fur Auld Syd ye ken, I'm eesed wi that kinno thing luikin efter the littlins.

Twa Setterdays back, Joe Higgins an Floyd Townsley fae the caravan site doon bi the burn telt aabody they'd dammed the watter sae we could aa sweem there aneth the trees at the Hangman's Pot. Maistly, there's nae eneuch watter in the Hangman's Pot tae float a bandy, bit efter Joe an Floyd dammed the burn it grew deep eneuch tae dive inno, deep an blaik the watter wis, the colour o brunt traicle. There's a den there far us aulder loons get aff wi oor quines, private-like. There's ay tinnies an tabbies lyin aroon, sae the young eens are warned tae bide awa an play nearer hame. Bit I'm fowerteen noo, auld eneuch fur Joe an Floyd tae let me hing aroon the den an sometimes try a drag o a fag or a scoof o cider or beer.

Joe an Floyd are cousins, strang sweemers baith, baith blaik heidit wi "love" an "hate" tattooed ower ilkie haun. Joe ains a motor bike, tho he's nae auld eneuch tae ride it on the open road. He teirs roon the wids ahin the caravan site an naebody gees their ginger aboot it. He's got a twin sister, Ashley, ay, a richt fit quine, same age as Joe, fifteen. Lang fair hair she's got an she's nae lood, disna show aff like some quines, isna a tease. Ashley's ay wi Joe an Floyd, they're traivellers' bairns, camp in the kintraside aa simmer like noo, bit aa winter they bide in Aiberdon richt at the tap o a tenement up in the Sabban estate, chaip hoosin, cause they pye fur't aa year roon.

Traivellin wid be gran in the simmer richt eneuch, bit nae in winter. Ashley an Joe dinna come tae skweel aften, they ay plunk it, bit Joe can tell stories tae a band playin, an Ashley sings queer sangs, nae like ither lassies o her ain age, she sings auld, auld sangs that her fowk learn her, Dolly an Reekie Higgins. Reekie, her Da, plays pipes an fiddle tae. Aabody caas him Reekie cause he's ay got a rikkin fag hingin ooto his moo. Whiles on Academy days I spen my denner oor at the traivellers' campsite. Reekie Higgins caas me "the Midgie" cause I'm on the wee side an ay bizzin aroon his faimly, bit they dinna shoo me awa. Naebody tells Joe or Ashley fit tae dae, they please thirsels, they come an gyang as they like. Of course, they hinna ony wee brithers an sisters like me, anklebiters snappin roon their heels, ken?

A fortnicht syne, I thocht I'd get inno Ashley's gweed buiks by makkin a Tarzan swing ower the Hangman's Pot. I telt Granda aboot Ashley, an he said, "Ye dinna wint tae pit aa yer eggs in ae basket at your age, ma loon," bit she's the best-luikin quine hereaboots even if she is a bittie fey in some o her wyes. Cheenges is lichtsome. Onywye, I made the swing ooto a lang daud o towe I cuttit fae the eyn o Ma's washin rope. I flang it ower the braid branch o a heich horse-chesnut tree growin ooto the steep bank abeen the burn, an threidit a straicht stick tae staun on at the eyn o the towe. Ye could clook the towe tae ye wi a twig, syne pu it up the brae, grip ticht, staun on the stick an wheech ower the puil, drappin doon hauf wye ower like a steen inno the blaik cauld watter.

First shottie, the watter closed ower ye like a lid, sae cauld it tuik yer braith awa. An the watter wis kirned up an dubby wi loons playin an splashin aboot in it, sae ye couldna see the boddom fur reeds an auld bike wheels. Ae kick brocht ye sheetin up tae the daylicht again, splooterin watter oot fae yer neb an moo an sweemin quick tae get back tae the warm girse. That's the thing aboot deep burn watter … it's ay steen cauld, deidly cauld.

That particular Setterday wis supposed tae be my day aff. Fur aince, I wisna supposed tae be watchin the bairns. Fur aince, Ma wisna wirkin, or gaun oot tae Bingo, or shoppin, or roon at her pals. Da wis doon in The Blaik Bull howf pullin pints. He wis gaun tae the fitba efter, bit she niver speirs if he'll watch Craig an Leanne, he widna onywye, they're aa richt fur a bosie in the passin bit nae tae dae onythin borin wi like childmindin, na, nae him. Nae his style. Nae "man's wirk", watchin bairns. Ma gies me a fiver noo an again, as if that makks it aa richt. An if I threaten nae tae watch them, it's the guilt trip. "Yer ain flesh an bluid … Wid ye grudge yer ain mither a wee whilie aff? I'm wirkin aa oors tae gie you a nice hame …"

I'd veesited Granda the nicht afore, he wis in fine fettle, we get on like a hoose on fire noo, Auld Syd an me, bit it's gweed tae spen time wi loons yer ain age as weel, in't it? I dinna ain dookers, I sweem in my shorts, an thon day wis that warm an hett … Honest tae God, cross ma hairt an sweir tae dee, I niver heard my Ma tell me she'd cheenged her mind, she wis gaun intae Aiberdon tae buy make-up, I niver heard her tell me tae watch the littlins.

Craig wis aa richt, he wis puddlin aboot in a neebor's backie speenin watter an dubs inno an auld bashed pan an makkin a richt clort o himsel. Jinty Chalmers fae ower the road hid spottit him sittin hissel, an liftit him in ower her gairden tae play wi her ain sax year auld, Liam. Me an Fox war aff tae the Hangman's Pot, fur an efterneen's sweemin. I didna even ken Ma hid left on the bus, I wis that excitit at haein a hale efterneen tae masel tae hing oot wi Joe an Floyd. I *did* notice Leanne treetlin efter me, bit I roared at her tae get hame an leave me alane, an I thocht she did.

I didna really like Leanne muckle. I ken brithers an sisters fecht an argy aa the time, an fowk say "spittin an scrattin is Scots fowk's lovin", bit nae wi me. I niver really warmed tae her. My Da spylt her rotten, thocht the sun shone ooto her

bahoochie. An naebody likes favourites, speecially the ootlin o the faimly. She could be sleekit fur a littlin, creepin aboot spyin on me, syne rinnin tae Da an clypin …

"Donnie wis smokin fags wi Joe Higgins" or "Donnie gaed aff tae the wids wi Ashley Higgins" or "Donnie an Floyd Townsley gaed ahin the scout hut an drank tinnies o lager. I saw them! I saw them!"

Onywye, the sun wis warm an I hashed on up the lang girse on the brae, an dowpit doon tae rugg aff ma socks an trainers an ma jeans, slippin ma tee shirt ower ma heid an settin ma watch on tap o the pilie o claes. Fox sat doon tae guaird them, cockin his heid sidiewyes. Syne I raxed up catchin the lang towe, tuik a deep braith an gaed swingin ower the pot. Hauf ower I drappit doon, wis swallaed up bi the tarry waves, till I kickit masel up an cam brakkin throwe the surface o the watter tae makk wi a splash o spirks fur the burn side.

I didna bide lang thon efterneen. Joe an Floyd war up in the wids on their auld motorbike, an Fox wis sniffin oot voles or rubbits. The watter wis cauld, the sun gaed ahin a clood an I grew scunnert o splashin aboot masel. I sclimmed up the bank ooto the watter garrin the soles o ma feet turn blaik wi stoor on the dry yird. Fin I reached my claes I ruggit my tee shirt ower the hen's flesh sprootin on ma skin, fusslin on Fox tae cam tae heel an follae me hame.

Back at the hoose I gaed inno the kitchie fur a piece an a drink o juice. There wis nae sign o Ma. Mebbe she wis hingin oot washin. Na, the greenie wis teem. Mebbe she wis doon at the shops … Nae maitter, fur aince the hoose wis peacefu, nae snottery-snooted littlins skirlin an fechtin. Fox an me flapped doon on the sofa. I set a cushion at my back an I switched on the TV, nae Da in the fireside seat tae roar at me, or nip ma heid, jist a fine easy-osy efterneen, wi a bluebottle bizzin up in the neuk o the windae batterin its wee paper wings teetle the glaiss like it wis tryin tae mug the windae.

It wis fine an warm an peacefu. I raxed in ma pooch fur a

brandysnap sweetie that Granda hid gaen me an sookit it till it meltit awa tae a wee sweet boolie o slivvers. An then I fell asleep. I didna wauken till the back o five. Ma wis shakkin ma shooder, Fox wis bowfin, Craig wis wheengin, yon hauf-girn hauf-greet that he dis fin he's in an ill-teen.

"Far's Leanne? Far's yer wee sister? I telt ye tae watch them! I telt ye!"

Turned oot that Jinty Chalmers hid keepit Craig aa efterneen, which wis gweed o her, bit she'd made eese o the time tae phone aa the neebors in the clachan an say fit a black affront it wis that neither Digger Paterson nur his wife Margo atween them could luik efter ae wee bairn, an wisn't it lucky that she'd bin there tae stop him wannerin ontae the road tae be flattened like a bannock by the traffic wheechin ben tae Aiberdon.

"Ach, she'll nae hae gaen far," I telt my Ma. "She'll be playin at a pal's hoose. She'll be hame in ten meenits, taps. Betcha."

"She'd better be, fur yer sake," Ma muttered. An I kent she meant it.

Ma sterted tae slice tatties an ingins inno the pan, it wid be stovies fur tea, ma favourite, an Craig climmed up on the sofa wi me an Fox. Fox licks Craig's lugs fin he dis thon an leaves slivvers aa roon them, bit it's kinno kittlie an Craig jist lauchs. Fin he's nae girnin he's a gweed bairn really. The TV wis flickerin awa in the neuk as Da cam hame fae the howf efter a shift ahin the bar. He hid twa oors o a brakk afore he set aff tae guaird the warehoose, sae we didna hae lang tae thole him sittin aboot finnan faat wi aabody. I eesed tae think if oor hame wis that bad, foo did he bide in it? I eesed tae think mebbe there'd be a raid at the warehoose an robbers wid sheet him. Fowk say teenage loons aften row wi their Das, bit we dinna hae rows, he roars an rages an I staun an listen. Onywye, I heard Da's key in the door, an the clump as he dunted his beets on the mat at the door, chappin aff the stoor. He maun taen a short cut ower the parks, by the wids.

"Ye didna see Leanne on yer wye hame?" speired Ma. "This

ane here wis supposed tae be luikin efter the littlins, bit he gaed doon tae Hangman's Pot insteid. Hingin aboot efter thon Ashley Higgins an her brither nae doot. Jinty Chalmers keepit Craig. She'll makk a richt meal o thon, oor name'll be keech aa roon the clachan."

"Get aff yer lazy dowp an luik fur yer wee sister," Da gurred. "An dinna bother showin yer face back here till ye've gotten her."

The stovies war birsslin bonnie in the pan, ready tae clap ontae the plates. The teapot wis simmerin aneth the cosie. Sweemin in the burn hid made me hungry, bit I didna daur quanter ma faither, I lowpit quick smert affo the sofa wi Fox at ma heels an set aff tae luik fur the wee bizzim.

First aff, I speired in the paper shoppie. Mrs Kirkpatrick wis servin a customer.

"Fit are ye hodgin up an doon fur, Donnie Paterson? Wyte yer turn!" she ranted.

Efter the customer left, I speired if she'd seen Leanne. She hidna. I gaed ower tae Jinty Chalmers hoose neist, on the aff-chaunce, hopin that Leanne micht be playin in her backie an her nae noticed. The backie wis teem o aathin bit strings o babies' bibs an goons, dauncin up an doon in the saft simmer win.

"I've heard o fowk lossin wallets an watches, bit dae ye nae think lossin twa bairns in ae day's a bitty careless, Donnie?" she winted tae ken.

I roosed at thon. "I didna hear Ma tell me tae watch the littlins," I telt her, nettled. "An onywye, I've ay tae watch them. I've a life o ma ain I could be gettin on wi!"

I still wisna bothered muckle aboot far Leanne wid be. There wis fower gweed oors o daylicht an a lang gloamin afore dark fell. Simmer's sweet in the kintra. Fox chased Mrs Kirkpatrick's cat ower twa dykes an a fence an cam racin back, pechin, his lang pink tongue lollin atween his teeth. I chappit on fower mair doors, an tuik a turn roon the swing park. The swing park

wis fu o littlins wheechin roon the tinny rides an skytin doon the shute, their hair streamin ahin them, skirlin an lauchin. Some war slubberin inno ice lollies, fur it wis still hett in the evenin, an lang streaks o sticky goo wis rinnin up their wee chubby airms.

"Hae ony o ye seen Leanne Paterson?" I speired o a wee scabby-kneed loon, wytin a turn on the swings.

"Ay. Ay I seen her," quo he. "She wis follaein ahin ye this efterneen."

"Are ye certain sure?" I speired, bit the wee loon ran aff fur a shottie on the whirlie.

If ma sister Leanne hid follaed me, mebbe Ashley or Joe or Floyd wid hae spottit her. Mebbe ony o the caravan fowk wid hae seen. It's anely an echt-meenit walk fae the clachan tae the wids, an I cam on Ashley leanin teetle a dyke nae far fae the swing park caimbin her bonnie lang hair an singin. She wis singin that bonnie that I clean forgot aa aboot Leanne fur a meenitie an listened:

Oh I will build a bonnie boat
An I will sail the sea
An I will gyang tae Lord Gregory
Since he canna cam tae me

Oh rowe ye boats ye mariners
An bring me safe tae the lan
Fur I am cauld an tired my love
An fain wid haud yer haun

Ye musterin thunner fae above
Yer willin victim see
But spare an pardon my fause love
His wrangs tae Heaven an me

It wis a sad sang, an auld sang, a sang aboot a young quine

drooned. Ashley disna sing in front o the clachan bairns, mebbe she's feart they'll lauch at her. Mebbe they *wid* lauch at her. Bit I like Ashley's singin. See, fin Ashley sings, the verra hair stauns up on the back o ma neck, jist rises fair up, like somebody's walked ower ma grave, like I've walked throwe a door inno anither kingdom, anither airt aathegither. She stoppit singin fin I drew near an turned roon quick. I whiles think Ashley's got een at the back o her heid, she hears things even Fox widna. Sees things, tae, if truth be telt.

"Fit brings you here?" she speired. "I thocht ye'd be up seein yer Granda."

I telt Joe an Ashley aboot Granda. Queer foo ye'll tell some fowk things an nae ithers. I widna tell my ain fowk aboot him. Nae because I'm ashamed o him, jist because he's speecial, he's mine, an they'd spyle thon, I ken they wid, I jist ken. They'd try tae takk him awa fae me, an I winna let them.

I shrugged aff Ashley's question.

"Ach, somethin an naethin. Ma gaed aff intae toon the day shoppin, an I didna hear her tell me tae watch the littlins. Nae ill dane. Jinty Chalmers watched wee Craig sae he's nane the waur. A bairn at the play park saw Leanne follae me intae the wids. She'll be up at the den, or raikin roon the caravan site."

"She's nae at the den nor the caravan site," quo Ashley. "I'm new back fae there. Far else did ye ging this efterneen? Think, Donnie. It's efter seeven noo. If the dark comes doon an she's nae hame, the police'll hae tae be telt."

She gaed a grue, as she said thon, like she wis cauld.

"Far else did ye ging, Donnie? Wis ye doon at the Hangman's Pot?"

I noddit. She'd be there, I wis sure o't. Jist like Leanne. Hidin likely, tae get me intae trouble, tae earn me anither leatherin. The langer she wis awa fae hame, the bigger the leatherin I'd be gettin. Da wid batter me black an blue fur this. I began tae form the thocht in ma heid that I'd speir if Dolly an Reekie wid let me bide at the caravan, tho I kent they'd bare eneuch room fur

their ain faimly, till Da cweeled doon. I could hae skelped Leanne masel fur pittin me throwe this, skelped her till her dowp wis reid raw.

Ashley ran afore me doon throwe the wids, her lang fair hair floatin ahin her, the derk trees, wechtit wi leaves, closin ahin her. By the caravan site, roon the den, up tae the heid o the brae an the steep, steep bank. An there, the traiveller lassie stood stock-still, like she'd bin turned tae steen. I catched up wi her, pechin, ma hairt duntin wi rinnin. There, ma een follaed hers, doon tae the Hangman's Pot. Floatin like a bunnle o auld claes at the side o the burn, face doon in the watter, her airms raxed oot, wis Leanne. Her short hair wis stucken tae her heid an ae wee trainer wis showdin at anchor, in the reeds at the watterside, the white pynts bobbin like bog cotton, frayed an bunched.

It wisna ill tae jalouse fit hid happened. She'd follaed me, keepin weel ooto sicht, jist like the bairn at the park hid said, spyin on me like she aften did. I dinna ken foo lang she'd sat an watched me up in the lang girse on the brae – a gweed lang whilie, likely, bit she'd niver said boo, watchin wi thon clype's een o hers, taen it aa in, the lang towe, me swingin ower the pot an drappin doon, syne brakkin throwe the surface o the watter tae lowp up wi a splash an kick oot fur the side. An efter I'd left, she'd climmed the brae hersel, an liftit her thin tanned airms an swung hersel ower the Pot that wis ten fit deep, an dunted her heid on a steen at the burn's foun, that set a merk like a wee reid rose on her broo. An there she'd drooned, alane on a bonnie simmer's day wi the butterflees wauchtin bonnie alang the sheuch an the birdies singin blythe fae tree tae tree, as the bairns hyne aff on the pleisur park lauched at play.

August

The pictur o thon, Leanne face doon in the burn, will bide wi me till I dee. It's the last thing I see at nicht afore I faa asleep, an the first thing I see fin I wauken. Da wis ower shocked tae batter me, fur eence he niver raised his neive at aa. Fur eence, I wished he did, I wid hae felt better. The police fished the body ooto the burn an drave it awa tae the toun, fur tests an checks. My Ma bedd at hame tae luik efter Craig, let aff her wirk till the funeral wis ower an by. Neebors cooked an haundit in pots o soup, bit nane o's ett the gifts o meat they gaed us. It's queer foo hunger leaves ye at a time like thon, like ye're feedin on shock itsel. Drooth, tho, disna desert some fowk, iver. Da teemed ae bottle efter anither. Some fowk caad it a "gran excuse" an ithers said "Ye shouldna judge", or "Foo wid ye feel yersel?"

It wis him fa hid tae identifee the body. Efter thon the coffin wis nailed doon. Naebody heedit me muckle then, like I didna exist, like I wisna there, like I wis invisible. Bit I kent my fowk blamed me, thocht it wis my wyte she'd drooned. I spent the evenins doon at the Hame wi Granda, jist sittin quaet. He held ma haun. It wisna a jessy-like thing tae dae at a time like thon, he jist held ma haun an the warmth o't wis like an anchor.

"Ye maunna blame yersel, loon," he telt me. "Aabody has their ain roadies tae gyang. Fit's afore us we winna get by."

Fate, then. That wid be it. Leanne wis meant tae dee young, like the lassie in Ashley's sang, naebody's wyte. Fate. "Dreein yer weird", Ashley's Ma Dolly caad it. "Dreein yer weird" … meetin yer fate, heid on, like Leanne met the steen at the fit o the burn, steekin her een tae the ferlies o this warld, an openin them tae fitiver airt lies efter.

Fitiver roadies ma sister traivelled noo, the kirk wis packed tae the gunnels tae see her aff. I niver saw the pews sae fu or the flooers in the kirk sae bonnie. Bairns' coffins are white, ye ken, an sma. A wee white box an a teddy made ooto

chrysanthemums fae Da an Ma, a single pure white rose fae me an Craig. Granda couldna pit onythin, cause Da thinks he's deid. Bit the Hame arranged fur a spray o simmer flooers tae be sent ower the day o the funeral, an Ma wis that sair-made she niver luikit at hauf o the cairds on onything. Forbye, there wis puckles sent wreaths ye'd niver think o – even the laird sent a wreath o deep reid roses "wi deepest sympathy". Near as deep as the Hangman's Pot itsel, the sympathy o the clachan fowk. Thon made me feel aa the mair guilty, fur nae takkin better care o Leanne ma sister, even tho I hidna likit her, an probably niver wid hae. Da an Ma likit her weel eneuch tae makk up fur't. Nae likin Leanne made it waur in a wye, the guilt wis byordnar hard tae bear. Because there'd bin times that I'd really wished her deid, fin she clyped an got Da tae belt me.

"Naebody iver expecks tae beery their ain bairns afore them," Granda telt me. "Fae fit I hear o yer Da, he'll nae hae the siller tae pye fur a funeral eenoo. I've a bittie pit by, an I'll sen it direct tae the unnertaaker – an anonymous donation. It'll cost mair nur a car an a furreign holiday pit thegither tae sattle this. An mind, loon, niver say dab it wis me."

Sae I didna, an aabody thocht that the laird hid pyed it, an naebody kent the laird weel eneuch tae cam richt oot an speir. Da said faiver pyed it, it wis a God's blessin they did, fur the heidsteen itsel cost hunners o poons an he winted his quinie tae hae the best, nae shovelled aneth the grun like some auld roosty kettle ye've nae mair eese fur. Granda warned me it's nae like lossin a goldfish or a kittlin, a daith in the faimly, it's like cuttin a muckle great daud ooto a linen sheet. Ye can patch it aa ye like, bit it's niver the same, it's niver really hale again.

Ilkie nicht sin the funeral, Da's bin doon at the howf, nicht efter nicht, nae comin hame till late. Fin he dis come hame, ye can hear him stottin aboot, blootered, fu's a puggie, bleezin, caain ower things in the dark. An ilkie nicht sin the funeral, roon aboot gloamin, eence Craig's beddit upstairs wi his Ted in his bosie, I slip up tae the Hame or ower tae the caravan site tae

cry inby Ashley an Joe, tae get ooto the hoose an its grief that sits inside it like a muckle boulder blockin oot the licht.

"It'll growe better, loon," quo Granda.

"Time's a gran healer," Dolly Higgins remairked.

Bit I hate comin hame in the mirk, for Ma sits hard bi the windae. Sittin an luikin oot at the path ben oor gairden that rins tae the front door, an farrer than that, her een are set on the wids in the distance far the burn rins deep ben the trees, an I ken that she luiks fur Leanne an wishes her hame. An it's affa ill tae thole, the disapyntment in her een fin she sees it's anely me comin up the path in the mirk, her least-liked aulder loon.

Last nicht, tho, twa sets o fitsteps cam ahin me on the pathie up tae oor door. Da wis bringin hame Stella Bruce fae The Blaik Bull, a barmaid sax year aulder than me, new flang oot bi her fowk an needin a place tae doss doon, jist fur a whilie, of course …

PART 2

SEPTEMBER

Stella Bruce bedd wi us for three wikks afore it happened, afore things cam tae a heid. The nicht she moved in, Da said it wid jist be for ae wikkeyn, till she fand somewye else tae bide. Her fowk are nae lang moved up tae Newbiggin, fae Glesga. Her faither wirks in ile. Da said her fowk hid pit her oot, bags an baggage. He didna tell us, tho, the row wis aboot him. Ma thocht he wis daein the quine a favour, thocht it showed Da hid a saft side, wisna as hard as he liked tae makk oot.

She wirkit alangside him at The Blaik Bull. I expeck she wis gweed fur trade. It wis a ticht shove, her sleepin on the sofa at nicht, her claes aawye. Ye canna relax wi a stranger in yer hoose. Fowk wis bumbazed that my Ma'd let her bide in the first place, bit she wisna hersel fur a while efter Leanne's funeral, kinna lost the plot.

Tae stert wi, gie Stella her due, she did help oot, pull her wecht wi the hoosehold chores. Fox didna like her, an pit doon his lugs an gurred fin she cam in aboot, bit Da seen stoppit him o thon, smackin his snoot hard wi the flat o his haun fin he bared his teeth. Efter a day or twa, Fox tholed her. She didna haud a grudge, an even won him ower wi tasty bitties o meat fae her plate whiles. She wis OK wi me at first, tho I like tae watch nature documentaries an sci-fi on TV, an aa she likes is soaps. An of course Da said veesitors get tae choose.

She didna like Craig tho, wisna intae wee bairns. "Nae my scene," she said, fin Ma tried her on tae childmind ae nicht. Bit Da sterted watchin him, tae let me oot at nicht tae dae ma ain thing. I should hae kent, then, that somethin wis up. Granda did, I'm sure o't. I gaed tae the Hame noo twice a wikk, Tuesday an Thursday, fur twa oors efter the Academy. Da wis even giein me cash tae buy a snack fae the shoppie fur ma tea, sae I could bide oot langer. Usually, I gaed tae the car park ahin the howf tae meet up wi the ither loons fae the clachan efter I saw

Granda. Ashley, Joe an Floyd war gettin ready tae gyang back tae the Sabban estate, far they bedd ower the winter months, tho noo an again they'd show up fur a class or twa at the Academy tae keep the school authorities aff their mithers' backs.

Ae Tuesday nicht, Auld Syd speired foo things war settlin doon. I telt him that life wis great, Da an Stella gied me money tae ging oot the nichts that Ma wis wirkin, an Stella even watched Craig thon nichts tho her an him didna get on.

"Oh ay," quo Granda. "That's some cheenge, is it nae? Fit dae ye really think o her, loon?"

I telt him I didna like her really, bit Da'd stopped beltin me since Stella cam tae bide. The bathroom's ay fu o braas an thongs, aa lace an silk like ye see in men's magazines. Floyd an Joe an me sometimes find thon magazines ootside the banker's hoose on paper-collection day. We nick them ooto the bunnle an takk them ahin the scout hut tae read. I've only iver seen weemin in magazines lookin like that, bit Stella Bruce could hae steppit oot o ane o thon magazines, could be a model, nae hassle. She weirs fake tan, wi a pierced belly button, an slippy-on strappy sheen an loads o lippy on her mou. Bit she disna shut the bathroom door, an I wis jist burstin fur a pee … an I breenged in nae thinkin, an she wis staunin in the shooer caain me a spotty wee perv. Ay, nesty like, meanin it. Auld Syd didna say muckle at that, neither did Ashley, fin I telt her neist day at skweel.

"Wid ye like tae see me in the shooer?" she speired in the Maths class.

Fin Ashley luiks at me wi her big green een, I feel like a daud o butter on tap o a hett rowie. I took a richt beamer, an noddit.

"Weel ye canna, ye clarty wee midden. Bit watch oot fur Stella Bruce. If ye ask me, she's pullin mair than pints."

October

The last Academy day afore the tattie holidays, I wauked Fox in the mornin, rowed the wheelie bin oot fur Ma, an saw Craig inno the door o Newbiggin Infant School. It wis a cauld foreneen, the parks bare efter hairst, the trees lossin their leaves in the early frosts. In fact, it wis ane o the best days I'd haen in class fur months, like I wis enchantit, like if I'd winted tae cheenge leid tae gowd or walk on watter, or slice the tap affo the Breemy Knowe wi a luik, I could. Aathin I did or said, wis richt. I passed ma Science test, Plug McAndrew reesed oot ma interpretation, Ashley Higgins gaed me her mobile phone number sae we could keep in touch fin she wis back on the Sabban Estate at Aiberdon ower the Winter, an she promised tae ging wi me tae the disco on Setterday nicht.

It wis a glorious wee bubble o pleisur, an like aa bubbles, it seen burst. I wis turnin the corner at hauf by fower, fin I saw Ma oot in oor gairden wi wee Craig, greetin her een oot surroondit bi cases an cairrier bags fit tae burstin wi aa oor claes. Jinty Chalmers wis humfin aathin ower the road inno her hoose, scurryin back an fore like a P & O ferry. I sterted tae trot, then rin.

"Fit's gaun on? Fit's adee?" I speired.

"Takk aa these cases intae my hoose an makk yersel eesefu," said Jinty Chalmers. "Yer Granny Menzies is on her wye oot wi a taxi eenoo. Fin my man comes hame fae his wirk the nicht he'll hurl aathin else in ye'll be needin in the meantime."

"Ma! *Ma!*" I shouted. "Fit's happened? Foo are we gaun tae Granny Menzies? Foo are ye greetin?"

The door o oor hoose wis steekit ticht shut, bit I could hear Fox scrattin at the door an whimperin tae get oot, an Stella Bruce's peintit wee face wis teetin oot atween the Venetian blinds, smirkin. Da wis naewye tae be seen, bit Jinty Chalmers telt me he wis in there, as she settled my Ma on the sofa an

dosed her wi tea an brandy time aboot.

"Yer Ma catched yer Da wi Stella Bruce on the sofa. It's been gaun on fur months an aabody kens aboot it bit yersels. Weel, the cat's oot the bag noo, an yer Ma's left him. Ye'll need tae takk better care o wee Craig here than ye did o yer sister Leanne, fur ye're the man o the hoose noo, an yer Granny's nae the type tae pit up wi ony nonsense."

I wis that dumfounert I couldna think fit tae say. I didnae wint tae leave Newbiggin. I hate Aiberdon, the steer an the traffic, an I'm nane ower fond o Granny Menzies, either. I texed the Hame an I texed Ashley's mobile, bit aa I got there wis a deid tone, she maun hae switched it aff, or likely her credits war dane. Bi the time my Granny arrived wi the taxi, Sandy Chalmers wis hame tae, sae we loaded baith taxi an car wi as much as they baith could haud an set aff bi the licht o a cauld meen ringed wi frost tae her bungalow up on a brae ahin the hospital. We war still unpackin cases at three a.m., gettin aa the sottar redd up at aince. It wis as weel it wis tattie holidays an there wis nae Academy tae ging tae fur a fortnicht.

Granny Menzies glowered at me as if it wis aa my wyte. "Yer mither'll sleep wi me an you twa'll hae tae sleep on a lie-low on the fleer o the livin room. There's a pump oot in the sheddie. Blaw it up wi thon. I'm an auld wummin an hinna the pech I eesed tae hae."

"Fit wye can we nae sleep in Uncle Terry's room?" I speired. "He's oot in Dubai fur twa years is he nae?"

"Get that idea richt ooto yer heid, ma lad. This is yer Uncle Terry's hame, nae yours. An yer mither'll tell the hoosin that, fin she gaes tae them the morn tae say yer hameless, thrown oot on the street bi yer Da an his fancy bit. There's sheets an blankets doon at the boddom drawer o yer uncle's press, an a hett watter bottle ye can full tae air the beddin. An leave yer dubby sheen at the door in the mornin till ye've a place o yer ain. My carpets is best Axminster. An ye'll dae yer ain washin mind, ye're nae an ornament, thon things at the eyn o yer airms are fur mair than

pickin yer snoot."

"Can I makk a cup o tea fur Craig an me?" I speired.

"Ay. Bit dinna teem the piece tin. My pension's nae elastic, it jist streetches sae far. An wash the cups efter ye an pit them by. I'm awa tae settle yer Ma doon fur the nicht. First Leanne, noo this, it niver rains bit it poors," she girned, shauchlin through the lobby in her bauchles.

I sleepit weel thon nicht, I wis dirt-dane, bit in the mornin wis waukened bi sea-maws skreichin fae ilkie lum in the street. An I wished I'd niver gaen wee Craig his cuppie o tea, fur he'd peed himsel, an Granny made me wash the sheets masel an hing them oot tae catch the icy win, in the greenie Granny shared wi Mr an Mrs Alfonso. Granny an the Alfonsos hidna said a civil wird tae ane anither in years, an efter we moved in, the temperature atween the twa hooses drapped fae cauld tae Arctic.

I dinna ken fa burst Craig's fitba, it could hae bin Granny Menzies or the Alfonsos, ony o the three o them war nesty eneuch tae dae it, an aa three hid complained aboot him stottin it back an fore on the bedroom waa. Bit late thon efterneen ane o Granny's braw braiss caunlesticks gaed through the tinted windscreeen o Mr Alfonso's brand new Ford Mondeo. A panda car drew up at the door seen efter, an a bobby rang the bell. He sat doon cannily on Granny's sofa an tuik oot a notebook.

"Yer neebors hae made a complaint aboot this big loon here, Mrs Menzies. Malicious damage, I'm telt. An the fowk ower the wye corroborate it."

I tried tae explain it wis wee Craig fa smashed the windae an that I wis anely tryin tae fish Granny's caunlestick ooto the Ford, kennin fit a fizz she'd be in. I said I wis takkin it oot, nae haivin it in, bit they widna hae ony o't.

"Fit a coordy thing tae dae, blamin a wee loon fur fit *ye've* dane!" said the bobby. "An while we're at it, there wis a fire roon the back o the shops last wikk nae lang efter ye flitted here, an a loon answerin your description wis seen hingin aroon. A richt wee crime spree, aren't ye noo? Weel, the Alfonsos here are

pressin chairges. Fit dae ye say tae that?"

I said twa or three things that I mebbe shouldna, an the bobby lickit his pencil an wrote them aa doon. "Gettin dug's abuse aff a teenager disna impress an officer o the law," quo the bobby. "Ony mair bonnie-like wirdies aff you, ma mannie, an I'll chairge ye wi breach o the peace. A report'll hae tae ging in tae the Children's Panel. An ye'll be haein a veesit, like as no, fae the social wirk depairtment. I unnerstaun yer Granny here wis gweed eneuch tae takk ye in fin ye war hameless. Are ye nae black affrontit tae pit a kind auld wummin throwe sic an ordeal as haein the police at her door, an terrorisin hauf the neeborhood forby?"

Granny Menzies hid on her martyr face, milkin the sympathy fur aa she wis wirth.

"Will the social wirk fin them a place o their ain shortly?" she speired in a quivery, shakky voice. "I've got varicose veins an watter peels. I'm allergic tae dugs' hairs an aa, an that big loon's claes are fu o them. This is a quaet neeborhood, I've niver hid ony trouble wi the bobbies afore."

Ae meenit Granny Menzies wis doon at the Bingo dressed up like a Barbi Dall, neist she wis a puir auld peelywally pensioner. I couldna get ma heid roon thon. She'd missed her vocation. Granny Menzies should hae bin on the stage.

As it happened, the Children's Panel met quicker than ony o's thocht, due tae a cancellation. I wis assigned a social wirker, Colleen McGraw, nae muckle aulder than Stella Bruce, mair peint on her face than a Cherokee, bit fair, I'll gie her thon, an nae teen in by Granny an her peengin.

NOVEMBER

Fur a while, I'd a wikkly meetin wi Colleen McGraw, ma verra ain social wirker, ane o Aiberdon's dedicatit band o trouble-sheeters. She arranged fur Craig an masel tae be taxied oot tae Newbiggin ilkie day till things sattled doon at hame, sae the skweel didna cheenge, tho aathin else wis crummlin roon aboot us. Like jugglin baas, keepin hame, skweel an freens aa up in the air thegither, wioot drappin them. I missed Fox terrible, bit I phoned Jinty Chalmers an she telt me that Fox wis fine, that she'd taen him in as a guaird dug as weel as a pet. He widna hae likit the toon, nae efter the kintra, it wid hae bin coorse tae takk him in tae bide in Aiberdon.

Colleen McGraw struggled up the chukkies ootside Granny's bungalow ilkie Wednesday cairtin a great black bag stap-fu o cases, reviews, an reports. I discovered fae loons oot aboot that social wirkers in Granny's street wis a rarity, bit roon the Sabban Estate a social wirker wis a status symbol, ye wis naethin withoot ane, some faimlies hid twa or mair, like fridge freezers or TVs.

"Ye dinna dae yersel ony favours," she telt me. "As it happens, I believe ye. I'm sure it *wis* wee Craig that broke the Alfonsos' windaes. Bit far war ye fin the fire wis lit ahin the shops last month?"

"If I tell ye that, will ye help my Ma get a flat tae hersel?"

"I dinna hae tae help yer Ma get a flat. She wis awarded ane the day, on the Sabban Estate in the high rise hooses. She's roon there sizin it up eenoo. There's a lot tae think aboot, afore she takks it. Bit I micht recommend that ye hae a wee brakk in the Hielans, a wee adventure holiday wi ither loons an quines o yer ain age, if ye wis tae tell me far ye wis the nicht o the fire."

I kent she meant it. Colleen McGraw disnae lee, fitiver else she dis.

Sae I telt her aboot Auld Syd, an foo I hidna said far I'd been

thon nicht, fur fear Ma wid stop me seein him. I'd bussed oot tae the Hame an back in again, a wirthless trip, fur he'd bin beddit an sleepin, an the carewirkers widnae wauken him.

"Weel, the police niver chairged ye wi stertin the fire. They didna hae proof, jist hearsay." She fichered wi the zip o her leather bag a meenitie. "We micht hae wir wikkly meetins in the car," she said. "I dinna think yer Granny Menzies wid object tae thon. An we could fit a quick veesit tae yer Granda Paterson in afore I drive ye hame. Mind tho, if yer Ma signs fur the flat, ye'll be shiftin tae Sabban Academy quick smert. In fact, if it aa gaes through, ye'd be stertin there next wikk."

December

Ma *did* sign fur the flat in the Sabban Estate High Rise Flats at Tullyvaar Coort, bit jist her an me flitted ower fae Granny Menzies. Granny Menzies taen a shine tae wee Craig, he mindit her o Uncle Terry she said, sae he anely bedd wi us fur the odd wikkeyn or holidays. There wis a nice wee skweel roon the corner fae Granny's that he could gang tae. She hid him dusted doon an dressed up like ane o the Spanish dalls she keepit in her cheena cabinet afore ye could say "Majorca", an a young merriet quine fae the eyn hoose agreed tae walk him back an fore ilkie mornin an nicht. She niver as much as said "Cheerio" tae me, gled tae see the back o me I suppose. Efter aa, Craig luiked like a Menzies, bit I hid the Paterson lugs, an ilkie time she saw them she thocht o ma Da an the coorse wye he'd treated ma mither.

Efter a wikk or twa, Ma landit a job as a waitress at the Knossos Greek restaurant near tae the beach. At a push, she could walk it fae Tullyvaar tae her wirk an back, bit as aften as no her new boss Demetrius drave her hame, whiles late on in the mornin. The Fourtouni faimly war Cypriots, five o them aathegither, Savos, Sophocles, Giorgio, Andreas, Demetrius.

I'd fand ma ain job. Aa bi masel – weel, nearly. We warna the anely fowk fae Newbiggin that bedd in Tullyvaar Coort. Joe an Ashley an Dolly an Reekie bedd on the sixteenth fleer, an Floyd Townsley's fowk war richt at the verra tap, on noddin terms wi the stars. The Townsleys wirked in the Carnival, "the Carnies" fowk caad it on the Estate, an Floyd fand me an evenin job at wikkeyns helpin tae takk the money fae bairns sikkin rides on the Waltzers an the Big Wheel. We aa gaed tae the Sabban Academy thegither, sae at least there war some freenly faces in the lang plaister corridors o the city skweel, wi its waas aa skyrie bricht wi peintit graffiti.

It wis queer movin in wi Ma tae the new flat. We'd left

Newbiggin wi jist the claes we stood up in. Colleen McGraw got a chittie tae buy us some furniture, second haun bit decent enough, bit oor hairt wisna richt in the move. Aathin hid happened ower faist, ower mony cheenges ower quick. Ma still blamed me fur lossin Leanne, tho we didna spikk aboot it. Maist o the time she wis wirkin, an fin she wisna wirkin she sat on ae cheer glued tae the TV like a moose transfixed bi an adder, an fin I wisna wirkin, I sat on tither, screivin an essay fur the English Teacher, Mr Donaldson, aboot fit ma chosen career wis gaun tae be.

I pit a lot inno thon essay. I screived aboot foo I wis gaun tae be a vet an hae a practice in the kintra. I screived aboot the big car I'd hae, an the fine hoose, an furreign holidays, twa or three a year. I even bothered masel tae raik throwe the dictionar tae makk sure the spellin wis richt. I handit it in next mornin, cheery like.

At brakk, I wis passin the staff room door on ma wye tae the secretary wi ma chitty fur free denners, fin I heard Mr Donaldson spikkin tae the Guidance Teacher, a chiel fae the West Coast caad MacPhail. "See this essay young Donnie Paterson's handit in? Thinks he'll be a vet! Of course he hasnae a cat in hell's chaunce o thon, nae wi a faimly like his. Fan wis the last time onybody fae *thon* estate actually made it tae varsity? If he'd bin ane o the lecturers' bairns, weel, ay. An I see he's bin in trouble wi the police, vandalism, malicious damage … a real wee chermer. Well, I've merked his caird already. Pass the wird roon, MacPhail. Watch oot fur this ane. A vet, nae less! That's as likely as me spennin Christmas on Mars. If ye didna lauch, ye'd greet. I've a mind tae preen it up, it's that comical. If it hid bin Jimmy Naseby, noo, or Charlie Watson wrote that essay, that'd be a different kettle o fish."

Ashley an Joe warna ony bumbazed at aa fin I telt them. "Ashley wis bullied aa last winter at Sabban Academy," Joe said. "An Jimmy Naseby an Charlie Watson war the ringleaders. They've their ain wee gang, Young Tullies they caa thirsels. Bit

they're sleekit wi't. They're niver coorse in skweel. See, Donnie, Sabban Academy's a richt mix o pupils aa roon. There's fowk aff the schemes, like us, 'schemies' they caa us, an there's immigrants' bairns, Chinese, Indian, Moslem, fae aa the airts. Ane o ma best freens, Sanjit Rhan, gaes tae Sabban – his Da ains a paper shoppie doon at the beach. An there's lecturers' bairns fae the big hooses in Auld Tullyvaar roon the college. Some o them pit their bairns here deliberately, tae show they're pairt o the community. Their fowk form committees raisin cash fur computers an trips an fitbaa strips, an write tae the papers an their MSPs if onythin misfits them. Fowk takk notice o fit they say. Jimmy Naseby an Charlie Watson bide in the lecturers' hooses. MacPhail wis telt it wis them fa wis bullyin Ashley, by aa the shopkeepers oot aboot. Mr Rhan gaed up himsel tae complain aboot them sweirin an spittin ootside his shop. There wis even word o extortion. Bit fin oor Da gaed up tae hae it oot wi the Guidance Maister aboot Ashley bein follaed hame an bullied, he telt him fit happened ootside the skweel wis nane o his affair, an he couldna believe the loons hid meant ony ill, it'd jist bin high jinks, naethin mair, fur they baith come ooto gweed hames an war baith brocht up tae ken better!"

It wisna lang efter that that the Young Tullies sterted tae pick on me, in skweel an oot as weel. Ae day, in MacPhail's Comparative Religion class, MacPhail telt us aa tae shut wir een an chant *om*, a Buddhist chant. It's supposed tae makk ye think aboot peace. "I'm a Moslem, sir," said Sanjit Rhan. "An I'm a Wee Free precentor, Sanjit Rhan," said MacPhail. "Bit chantin *om* disna sign ye up tae Buddhism fur life. Jist think *peace* an shut yer een fur five meenits, there's a fine laddie, an dinna be awkward."

Weel, Ashley, Joe, Floyd, Sanjit an me chanted *om* fur a meenit or twa till I felt a crack on my lug, the Paterson lug that Da eesed tae belt, an I gaed steen mad. I furled roon an there wis Jimmy Naseby an Charlie Watson sittin smirkin, leanin back in their seats, wavin me up tae them, as if tae say, "Come

on then, show's fit ye're made o or get oot ma face."

I kent I hid tae staun up tae them, or there'd be nae end tae it. I gaed straicht up tae Jimmy Naseby, the nestier o the twa, an plowted him hard on the snoot. His cheer fell back an Naseby hit the fleer. Bi noo the hale class war up on their feet cheerin: *"Paterson … Paterson … Paterson … Get him … Get him … Get him …"*

MacPhail wis oot o his seat an at ma back in a flash, tryin tae haul me aff, an he happened tae cop a backswing that caad aff his glaisses.

As he scrammlit aboot near blin on his hauns an knees efter his broken glaisses, he muttered, "Heidmaister's Room – richt noo, Donnie Paterson."

I got twa hale wikks' suspension. I'd niver been at hame durin the day, I'd ay bin at Sabban Academy, sae I didna ken that Demetrius Fourtouni wis spennin pairt o the day there, gettin his feet aneth the table. He's fifty if he's a day. Floyd Townsley telt me he's merriet, they're aa merriet the Fourtini brithers. They ging hame tae Cyprus for their brides an they're ay virgins as far's fowk ken, afore they merry. Syne they bring them ower tae Britain tae sattle doon. Their weeminfowk are quaet an decent-livin. They bide at hame an luik efter the bairns an dinna aften wirk, nae that particular faimly, onywye. Demetrius's wife wis thirty year younger than him, niver left her clachan afore she cam tae Aiberdon last year, it maun hae bin a gey culture shock thon, comin fae bonnie warm Cyprus tae steen-cauld roch Aiberdon. Floyd said it's nae uncommon fur them tae hae a girlfreen, tho it's niver serious, a bit o fun, jist. They ay bide loyal tae their wives.

I didna wint tae think o my Ma as "a bit o fun". She wis embarassed at me walkin in mid-mornin on her an Fourtouni, I could see that. There wis drink on the table, an his tap shirt buttons war lowsed. I suppose she wis lanely, bidin in the high rise wi nae close freens nearhaun. She's niver bin ane fur haein close freens, my Ma. Freens stop veesitin fin yer man's an alki.

An I thocht tae masel, it hidna dane her confidence muckle gweed, Granny Menzies takkin Wee Craig aff her. Fitiver wye ye dressed it up, she maun hae hid time tae jealouse that Leanne deein wisna aa *my* wyte.

Fourtouni jumped tae his feet an pit on his jaiket. "I see you tonight, Margo. This your boy? Fine boy!" He smiled an I could see he hid gold fillins on his front teeth. Close tee, he smelt o garlic. Compliments cam easy tae him. She wid like thon. Mebbe I should dae mair tae help aboot the hoose. Mebbe she wid like that. Mebbe it wid takk her mind aff Greek restaurateurs.

Finiver he stepped in the lift, she turned on me.

"Fit hiv ye dane noo? I didna bring ye up tae brawl an fecht an batter yer teachers. Get tae yer room an bide in it till I tell ye tae come oot. I'm sick o the verra sicht o ye, ye're daein ma heid in."

I wisna lang in ma room fin the phone rang. It wis Colleen McGraw, an she wis comin richt ower. We'd a lot tae discuss, I kent that.

Ma left us alane tae get on wi't. "I'm awa tae the Knossos," she telt me. "I winna be back till late."

The front door catch clicked, an I heard the creak o the lift as it cairriet her doon tae the grun fleer. Fur eence it wis wirkin, then.

Colleen tuik aff her jaiket, sae I kent we war in fur a lang haul. Colleen niver takks aff her jaiket, I eesed tae think she slept in it.

"I've spoken tae the Heidmaister, I've spoken tae Mr MacPhail, I've spoken tae Mr Donaldson yer tutorial maister an Mr an Mrs Naseby hae lodged an official complaint tae the police aboot their son bein assaulted an bullied at school. Sae, fur that maitter, hae Dr Watson an his wife. An I've spoken tae Floyd, Sanjit, Joe an Ashley. Noo I'm spikkin tae you. Fit's your side o't?"

I telt her. She luikit gey serious, like she wis wyin the maitter

in her heid on a pair o scales.

"I winna pretend that this'll ging awa. It winna. There'll be a report sent tae the Children's Panel, an they'll ask fur social wirk reports. I'll hae tae prove there's bin a significant shift in yer attitude."

"Bit I didna start it!" I broke in.

"Na, bit ye feenished it, an Mr MacPhail could hae got glaiss in his ee fin ye broke his glaisses."

"Brakkin his glaisses wis an accident. I catched them wi ma elbow fin I wis aboot tae plowt Jimmy Naseby."

"Weel, he's sayin it wis deliberate. Fa dae ye think a panel'll listen tae, you or Mr MacPhail?"

I hung ma heid. "Mr MacPhail an the Nasebys."

"Cheer up, Donnie," she said suddenly. "I think the time's richt fur you tae hae the wee brakk in the Hielans I promised ye. Cheenge o scene. Skiin holiday. As weel makk gweed use o the second wikk o yer suspension."

"Next wikk?" I speired. "I'm gaun skiin next wikk? Can I tell my Granda?"

"I suppose we could," she said. "That's a nesty dunt ye've gotten on yer lug, ye're gettin a richt bruise there. Jimmy Naseby hisna a scrat on him. Peety aboot Mr MacPhail's glaisses tho. Likely they'll be insured."

On the wye oot tae the Auld Fowk's Hame near Newbiggin, Colleen telt me aa aboot the skiin trip we'd be gaun on next wikk. We'd be camped up abeen Braegarr, aside Loch Thearlaich. There'd be fower teenagers an twa carewirkers. Colleen hersel wid be ane o them. Aa o the teenagers wid come fae aroon the Sabban Estate or the feeder areas fur the Academy. It wis odds on I'd ken some o them. Ma hairt fair liftit at thon, Ma could niver afford a holiday like yon in a million years. Say fit ye like aboot social wirkers, whiles they *dae* come through fur ye.

Fin we reached the Hame I wis oot the car door like a shot, an ben tae the sittin room far Auld Syd wis sittin in his usual

cheer, watchin the TV. Colleen gaed ben tae the kitchie fur a news wi the Matron, tae leave us alane a whilie.

"Granda, Granda, I'm gettin a holiday at Braegarr," I telt him. "A campin an skiin trip aside Loch Thearlaich! Ma social wirker's comin an anither three teenagers an a carewirker an …"

"Wheesht, wheesht," said Granda Paterson. "Start again. Foo are ye gettin this holiday? Fit's happened?"

I quaetened doon an telt him.

"My my, loon, ye've fairly bin in the wars," he said. "This holiday could be the makkin or brakkin o ye, ye ken. If ye bide ooto trouble an let the hills dae their wirk, things could cheenge fur ye fur the better, in a big wye."

I wis fair mystifeed.

"Fit kinno wirk can hills dae, Granda?" I speired.

An then he telt me aboot the hare. Fin Auld Syd wirked on the trawlers, there wis a cook on the *Pride o Aiberdon* fa cam fae Braegarr, richt near in fact tae Loch Thearlaich. It seems fin the cook wis a littlin he'd fand a white hare in a snare, aroon winter time it wis, fin the hares turn white sae the eagles canna see them. An bein a kindly wee laddie, the cook had cuttit it free an bound its bleedin paw wi the tail o his hanky. Ye can imagine the begeck he got, fin the hare sterted tae spikk! It seemed the hare wis a warlock kinno a body, an hunners o years ago a local priest hid gotten the better o him. He hid spared the warlock's life on condition he niver did ill tae ony livin sowel, that he niver cheenged ooto the shape o a hare, an that he ay wirked fur the gweed o aa mankind. An the anely pouer left him, apairt fae bein immortal, wis the pouer o speech!

Weel, Auld Syd's telt me a puckle gey lang tales in his time, bit this wis the langest.

"Fit kinno man wis the priest?" I speired.

"A gey gweed ane," quo Granda. "He pit the hare in chairge o a verra ancient ring, brocht back bi the Knights Templars fae the Crusades. The hare could gie this ring tae ony man fa helpit him, or fa really needit the help o the Templars' ring affa sair."

"Did the hare gie the ring tae the cook o the *Pride o Aiberdon*?" I winted tae ken.

"That he did, an he ay wore the ring on the pinkie finger o his left haun. Bit the hare telt him anely tae seek the pouer o the ring tae help him aince, for the ring could anely wirk aince fur ony man. An efter thon he'd tae senn it back tae the hare, in ony wye that he could."

"Did ye see the ring, Granda?" I speired.

"Ay, I did, on the verra last voyage o the *Pride o Aiberdon*. We war fishin aff the Skerries, shippin heavy watter, muckle waves brakkin ower the bows. There'd bin storm warnins, bit the skipper'd ignored them, kennin there wis a glut o fish in that pairt o the sea. Greed, ye see, is a terrible pouerfù thing, loon. Ay mind thon.

"Onywye, we struck a rock in the dark wi the storm ragin roon, an the watter started tae poor intae the torn sides o the trawler an she sterted tae sink like a steen. Naethin lives for lang in a storm like that. If the sea disna kill ye the cauld surely will. We'd climmed tae the deck wi the boatie pitchin an heavin, clingin ontae the ship's masts. I thocht it wis aa ower fur the lot o's, bit the cook took aff the Templars' ring he'd spoken aboot, an he said a wee prayer tae the pouers that bide bi Loch Thearlaich tae save hissel an the crew. He flang the ring hyne up in the air – an it skinklet ye ken, it glimmered, an wi ma verra ain een I saw it – a great grey salmon lowp ooto the sea an swallae the ring wi a gulp. An I lookit up at the meen an dae ye ken this, I could sweir I saw the shadda o a hare gaun ower it!"

"Mr MacPhail telt us a Buddhist story aboot a hare on the meen," I buttit it. Granda wisna listenin. He wis still hingin on fur grim life tae the mast o the *Pride o Aiberdon*, ye could see it in his face.

"The storm subsided as quick as iver it sterted. Ooto naewye, a Naval trainin boat bore doon on us, an liftit us up tae safety. Bit the *Pride o Aiberdon* sank doon tae the fit o the sea an nae as much as a plank o her wis iver seen again!"

PART 3

December

Because o the stooshie at Sabban Academy, gettin masel suspended fur a fortnicht, my Ma groundit me fur the hale o the first wikk. I didna get tae leave the hoose an she taen ma mobile aff me, tae.

"Ye maun be keepin bad company here in the toun. I'm nae fur ye spikkin tae ony o yer clarty freens, d'ye hear me? Naebody!"

She cam hame loadit wi tins o paper an peint fae B&Q an gart me decorate the lavvie. The ae gweed thing wis Demetrius Fourtouni didna show his face again ower the door, nae doot feart I'd fin oot far his wife bedd an tell her foo much time he'd bin spennin at Tullyvaar Coort. At the wikkeyn Ma an me gaed roon the flea shops lookin fur warm claes fur the skiin trip at Braegarr. We didna need tae buy ower muckle, Colleen McGraw gaed us a list o aa the things the social wirk depairtment supplied, an it wis near aathin ye could think o, fae sleepin bags tae kettles!

I spent the hale o thon wikk winnerin fa'd be comin wi us on the trip. Colleen said they'd aa be aff the Sabban estate. I hoped they warna intae drugs or chorin, bit nae doot some o them wid be. I wis up oors afore the wee yalla social wirk van wis due tae arrive, aa packed an ready an hotterin wi excitement.

"Ye'll plot in aa thon claes," my Ma said. "Ye're ready far ower early. Ye'll be faain asleep in the middle o the efterneen."

Bit it wis the first real holiday I'd iver haen, apairt fae skweel day trips, withoot my Ma, an I wis desperate fur it tae stert! It wisna as if I hid Christmas tae look forrit tae. Fin there's bin a recent daith in the faimly, Christmas is cancelled. There'd be nae bubblyjock an skirly this year in my hame, tho likely Granny Menzies wid dae a wee somethin fur Craig, he wis ower young tae takk in fit bereavement meant. It wis like the ghaist o Leanne hidna bin richt laid yet, it wis ay in the backgrun. Sae

Colleen's idea o a cheenge hid bin a bobbydazzler. I couldna wyte tae get awa fae Tullyvaar Coort an its roosty lift that didna wirk hauf the time, an its druggies hingin aboot ootside the wheelie bins at nicht, that ye'd tae hurry by fur fear o gettin mugged.

At seeven a.m. there wis a *toot-toot-toot* doonstairs, an I craned ma neck oot the windae o the nineteenth fleer o the high rise far we bide. The van luikit like a Dinky toy sae far doon below. I gaed Ma a quick bosie – we're nae big on bosies in oor faimly – an humfed ma rucksack ower tae the lift. Fin the doors opened at the fit, there wis Colleen McGraw staunin wytin fur me, clartit wi make-up as usual. She'd hae a bonnie face if she didna shovel on the make-up ten feet thick. Fur eence, she wisna weirin her leather jaiket, she wis aa got up like an Inuit, furry anorak an aa.

"Get in quick, Donnie," she said. "It's jist stervation staunin at the fit o this high rise! I hope it's warmer up at Braegarr. I'm drivin, sae ye'll hae tae makk yer ain introductions. Ye're the hinmaist passenger – there's nae ithers tae collect."

Weel, I slid back the roosty yalla door, an there wis Ashley Higgins cockin on the back seat, an Sanjit Rhan aside her. I didna ken the ither quine at aa, a quaet fite-faced craitur fae a tenement nearer the beach, that gings bi the name o the "Hen Hoose", cause that's fit it minds ye on, an there's sae mony sub-lets tae a flat that the fowk are crammed in there like battery chuckens. She wis sittin in the front aside Colleen. They said her name wis Claire Brodie.

The ither social wirker sat aside me. He wis a chiel caad Ned Kirkpatrick, a nephew o Mrs Kirkpatrick fa ained the anely shoppie in Newbiggin. I sometimes think ye canna move in Aiberdon withoot faain ower some farawa freen. Incomers dinna like this aboot Aiberdon, bit I div. I speired at Ned Kirkpatrick if he iver veesited his aunty an he said "Ay, whiles." I speired if he kent a wummin caad Jinty Chalmers, an he said, "Wid that be her fa ains the muckle Alsatian dug?" an I wis

pleased syne, cause he telt me that Fox wis walked twice a day an weel luiked efter bi the Chalmers faimly.

Ashley telt me that aabody at the Academy wis in a roose aboot the suspension, bit till the teachers saw Jimmy Naseby an Charlie Watson fur the thugs they war, there wisna verra muckle we could dee aboot it.

"Fit are you here fur, apairt fae the holiday?" I speired at Ashley.

"My social wirker thinks I could dae wi a treat. Speecially efter the bullyin that gaed on last year. I lost a lot o wecht ower the heids o thon, jist took a scunner at meat. My fowk war real worriet aboot it. I'm better noo, tho. Colleen will be keepin her ee on ye, tae see foo ye get on wi aabody else. I widna worry, ye ay got on wi aabody afore ye cam tae Sabban Academy, it's jist yon pair o heidcases ye canna thole. In my book that makks ye normal. I canna thole them either."

The van stoppit a meenit at a garage tae full up wi petrol fur the drive tae Braegarr, an Sanjit an Claire nipped oot fur a packet o crisps apiece.

"Foo's Sanjit an Claire here?" I speired.

"Sanjit wis wirkin in his Da's paper shoppie doon at the beach, an twa young loons come in an robbed the shop. They baith wore balaclavas ower their faces. Ane o them hid a knife. They even took a watch his mither gaed him fur his birthday, an unusual kinno o a watch, she brocht it back fae Pakistan efter a veesit tae her sister. It took him a while tae get ower that, ye can imagine. That's foo he's here. Claire, tho, I'm nae richt sure. I think she bides wi foster parents in the Hen Hoose, an this is the anely chaunce she's gaun tae get o a holiday – they foster three or fower."

The weather wis dreich fin we left Aiberdon, a richt doonpish stottin aff the pavements, yon weety jeelin sleet that cuts ye tae the bane. It cairriet on rainin aa the wye tae the Leeripy Linn, a great black watterfaa by the side o the road gaun north, syne it cheenged tae snaa.

"Watch the road," Ned warned Colleen. "I dinna think the gritters hae bin oot."

Colleen wis haudin on ticht tae the wheel, een glued straicht afore her, sae I kent we war safe eneuch. Ashley an me hid tae dicht the windaes aa the time tae wipe awa the condensation, bit it wis wirth it, cause aince by the Leeripy Linn it luikit like Santa's grotto, bonnie an glittery an fite, like the clouds hid skirpit tinsel ower the braes. Icicles hung fae ilkie bough, an the braes an bens war like quilts o swan's-doon feathers.

Sanjit an Claire did naethin bit sook sweeties aa the wye tae Braegarr, bit Ashley winted tae ken if I'd seen Auld Syd, an I telt her aa aboot the white hare, an the Knights Templars' ring, the cook an the sinkin o the *Pride o Aiberdon*. Maist quines o Ashley's age wid hae lauched at thon an caad it a jibber o dirt, bit Ashley's nae like ither quines, she's fey. An yon's foo I like her. She didna lauch a bit, jist turned it ower in her heid like it wis a wee pearl she'd fand on the grun an liftit up tae look at fae ilkie angle.

Efter a twa oor hurl, we war finally there at Braegarr, an Ned an Colleen parkit the van at the side o a timmer bothy.

"The weather forecast's ower unchancy fur campin up on the Ben," said Colleen. "It'll be warmer an safer here in the bothy."

It didna takk lang tae unpack. The quines sleepit in ae room, the loons in the tither. Aabody hid tae wyte in a queue fur the shooer. There wis a muckle steen hairth doon at the eyn o the room, an Ned wisna lang in fullin it fu o kinnlers an papers an peat. Seen, he hid a fire roarin up the lum, a richt roaster, an Colleen opened tins o tomato soup an heated them ower a grey gas stove, fur an early denner.

The first efterneen, Ned Kirkpatrick took us pairt o the wye up the Ben on a ski-lift. I wis a bittie feart at thon, tho I niver let on, I wis terrifeed the cable wid brakk an pitch me doon the icy face o the corrie. We plowtered aboot an fell ower a lot on the nursery braes, an efter that we got scunnered an made snamannies, an Ashley an me peltit Sanjit an Claire an Colleen

an Ned wi snabaas. It grew dark quick in Braegarr sae we war aa inside the bothy afore six, dryin oor claes at the fire an eatin fish fingers an beans aff plastic plates, aa except Claire as she wis vegetarian, sae she jist ett the beans. There wis nae TV of course, sae we'd tae makk wir ain amusement.

I telt them Auld Syd's story aboot the white hare an the ring. Sanjit telt us a story fae the Koran. Claire an Ned an Colleen sang 'Ye canna shove yer granny aff a bus' an we aa jyned in.

"Fit aboot Ashley here?" speired Colleen. "Mebbe she could daunce?"

"Ashley's fowk are storytellers," I telt her. 'Ay, *real* storytellers, nae makkie-on anes."

"If she's *that* gweed," said Claire, "I challenge her tae tell a story aboot a hare that's better than yer Granda Syd's."

Ashley lookit at Claire wi thon clear green een o hers, tucked her legs aneth a blanket, cooried in tae the fire an raxed oot her fite slim fingers tae warm them.

"I'll tell ye this ane," she said. "Nae ane aboot murders, because fin I tell a murder ane, I can raise the deid thirsels …"

"Ay, richt," sniggered Claire.

"Wid ye like me tae show ye?" speired Ashley, her een derkenin.

"An ordinary story'll dee jist fine," said Colleen. "Wi a hare in't if possible."

Sae Ashley began.

The fowk o the West Coast o Scotland will tell ye (said Ashley), that hyne, hyne back fin Ben Nevis wis young, an wolves still walked the bonnie braes o Scotland, Hare wis affa dowie, because his sister hid been killt by a trap an gane tae the Isle o the Deid far the speerits bide, aff the coast o Scotland jist north fae the Kelpie's Crag. Eagle, tae, wis in mournin, for his wife hid bin killed by an arra, an Wolf wis wyed doon wi wae, because her bairn hid drooned in the loch.

Sae Eagle said tae Wolf an Hare, "Let's tak a boat fae the

human clan, an cross the muckle sea that rins by the Isle o the Deid. Let's cross yon sea an bring oor loved anes hame."

The three freens fand a bonnie boat. They did sail the sea, an they did gyang tae the Isle o the Deid. They rowed the boat throwe win an wave, throwe storm cloud bitter an blaik, fur nane wid settle at aa till they fand their deid luved anes an brocht them safely hame tae the lan o the leevin. They crossed the muckle sea far nae livin craitur hid iver gane afore, an wi a michty rug on the oars, they turned the proo o the boat inno the weird watters that led tae the Isle o the Deid. Naebody wis tae be seen fin they laundit on thon fremmit lan, bit they could hear singin. Usin the meenlicht tae guide them, they followed the soun tae its source.

There, in a clearin in the wids, wis a lang thatched barn, far a ceilidh wis bein held, wi speerits o seannachies telling tales as ithers took shotty aboot tae daunce an sing, or play on pipes or harps.

Ootside the door, the cock stood guaird, sae naebody could enter or leave bit he would skreich a warnin.

Aa nicht lang the speerits o the deid held their ceilidh, an fin daybrakk cam, they aa lay doon tae sleep. An fin daybrakk cam, Wolf killt the cock fa guairded the ceilidh hoose, sae he couldna raise the alarm. An inno the ceilidh hoose they creepit, an cairriet awa their loved anes. Bit fur fear that the daylicht micht hairm the speerits they loved, they bunnelt ilkie ane inno a plaid, an tucked them inno the derk foun o the boat ready fur the journey back. They pushed the boatie awa fae the Isle of the Deid tae sail the sea awa fae the lan o speerits, haein set their loved anes free. They rowed their boatie through win an wave, through storm cloud bitter an blaik, bit on the wye hame ower thon weird sea wi its muckle waves an its bitter, bitter cauld, the speerits o the deid began tae greet:

"Let me awa, let me awa," cried Hare's sister.

"Let me awa, let me awa," cried Eagle's wife.

"Let me awa, let me awa," cried Wolf's baby.

"Let us awa, let us awa," they cried thegither. "Ye canna bring us back tae the lan o the leevin. Oor place is nae wi ye, the time for thon is by. We belang in the ceilidh hoose wi the ithers o oor kind fa hae crossed ower."

An they keened an grat an girned till Wolf began tae winner if they had dane the richt thing by bringin them back fae the Isle o the Deid far the speerits bide in the braes o muir an mist.

"Daylicht is here," said Wolf. "Takk oor loved anes up fae the boatie's foun an takk aff the plaids aroon them. We canna keep them tied up here foriver. Thon is neither kind nor gweed. Takk aff their wrappins sae they can sit aside us."

Sae Eagle wi his sherp beak, an Hare wi his cliver paas, unwrapped the speerits o the sister, the wife, an the bairnie, bit wi a great skreich o joy the speerits raise up inno the air an wi the speed o the fower wins fleed back tae the ceilidh hoose tae bide foriver.

Fair foonert, the three freens rowed back tae Scotland withoot their loved anes. The first craitur they met there wis the cock, for a speerit niver dees as they should aa hae kent!

"Gypit breets," he said, "even tae think o gaun near the Isle of the Deid. Ye'll jyne yer freens there fin the Lord of the Isle decrees it, nae a meenit seener. Keep their memories bricht by aa means, certainly, bit bide on yer ain side o the shore till yer ain time comes tae cross ower. Syne you tae, will enter the ceilidh hoose o the speerits. Till then, gyang aboot yer lawfu business an leave the speerits tae theirs."

An Eagle, Wolf an Hare kent the truth o thon, an at last they left their loved anes tae bide in peace on the hyne aff Isle o the Deid, tae traivel their different roadie. Fur as Wolf hid tae admit,

"We rowed the boatie throwe win an wave tae try tae set them free,
Bit we are livin an they are deid an we maun let them be.
For as the leaves drap aff the trees fin autumn breezes blaw,

The spring will follae the cauld, cauld days fin winter snaws doonfa."

I kent she wis thinkin o Leanne fin she telt it. It wis jist like Ashley tae try tae makk things better. She jaloused that I still blamed masel fur the droonin. She kent I'd niver really hid a single nicht since thon withoot mindin on Leanne. Bit efter thon story, it kinna aa fittit inno place in ma heid. I hid tae get on wi ma life, nae forget Leanne, bit move on.

For the first time since the funeral, I sleepit aa nicht withoot ae bad dream. Fin I waukened the sun wis oot an the Bens war white. It wis oor last day at Braegarr, an Colleen an Ned Kirkpatrick said we could bide in pairs if we winted tae dae a bit o explorin as lang as it wisna ooto sicht o the bothy, fur it's affa easy tae wanner aff in the glens an bi smoored in sna an killt if blin drift blaws up.

Sanjit an Claire Brodie bedd richt aside the bothy makkin an igloo ooto muckle dauds o sna. They'd baith spent aa their lives in Aiberdon, an comin tae Braegarr hid bin an affa shock tae their system, wi nae TV, nae traffic, even seein the stars at nicht – fur the stars are blottit oot in Aiberdon, the hale place niver switches aff, it's like a muckle nichtlicht.

Ashley an me, tho, we war eesed wi Newbiggin, an likit haikin aboot in wids an knowes an howes.

"Watch far ye ging," shouted Colleen efter us. "The bothy's richt on the edge o Glen Thearlaich sheetin estate, an the laird o Braegarr micht be takkin a sheetin pairty ower the Ben efter the mountain hares."

It wis jist as weel she warned us. We reached the tap o the Ben an Ashley spottit a line o men like wee blaik dots, plowterin ben the sna, cairryin guns. There wis dugs wi them, barkin an bowfin – the soun cairriet richt ben the glen in the steen-cauld frosty air. Hares war lowpin afore them, their lang legs thuddin inno the snadrifts, an ane veered aff tae the richt awa fae the ithers, rinnin like the win up the side o the Ben makkin richt

fur oorsels, a muckle grey hound at its heels. Hyne doon aneth in the glen, we could hear the crack o the guns an saw hares, ane efter tither, drappin doon deid in their tracks as the bullets cut them doon like a scythe ben hey.

The hound wis catchin up on the white hare, bit I ran doon the brae an Ashley wi me, an scoopit the hare up bi the lang lugs o it. Syne I stappit it unner ma jaiket. Its hairt wis thuddin an thumpin fit tae burst, it wis terrifeed, the puir wud breet. Hares are hairmless, they hurt naebody, fowk shouldna hunt them doon. The hound widna gie up an bared its teeth an pit doon its lugs an gurred an slavered an offered tae snap an bite.

Ashley made a snabaa an stottit it aff its heid, an anither an anither till the houn took a thocht tae itsel an turned tail an fled, awa back tae its maisters.

I opened my jaiket tae teet in at the hare. It wis cooryin inno ma bosie, bigger than a rabbit, stronger, faister, the bonniest beast I think I iver saw, wi pure fite fur an een like twa weet brummils surroondit bi lang white lashes an fuskers. I strokit its lugs till its hairt slawed doon an its pechin lessened, an syne, tae ma bumbazement, the white hair spakk tae me, as sure's I live an breath!

It wisna the kinno speech I've heard afore or since, a low, low fusper, like it spakk wi a tyauve, as sae it micht, a wud beast fae the wids usin mortal speech.

"Fur savin ma life this day," wheezed the hare, "I will gie ye the gift o the *fith-fath*."

"Fit did he say?" speired Ashley.

I soondit it oot fur her, thinkin she mebbe kent fit the hare meant. "It souns like *fee-faa.* Dae traivellin fowk ken fit thon means?"

Ashley noddit. "Let him feenish fit he wints tae say."

The hare began tae spikk again in its queer low voice.

"I will gie ye a gift ye can anely use the aince, an tae use it ye need a ring. Efter I leave ye, ye maun gyang doon tae Loch Thearlaich an pu oot a salmon fae the watter. Kill the salmon

an takk it back tae the bothy. In its wyme ye'll fin the ring. Anely use it the aince, an anely use it fin ye really hae tae. Efter that ae time, ye maun return the ring tae watter tae regain its pouer, sae that some day, some ither body can share the gift. The gift that the ring'll gie ye, is the gift o invisibility. Different fowk hae different needs fur the ring, an that'll be your need sae use it weel. Sen the lassie ower tae me."

I cried Ashley ower, an she liftit the great white hare ooto ma jaiket an held it ticht in her airms, the better tae hear fit it said.

"Fin yer freen here needs my gift, ye'll be aside him. He micht forget the magic wirds tae say, bit I ken ye winna, yer memory's as clear's the spring that rises on Ben Braegarr:

A magic cloud I pit on thee:
Fae fish an fowl, fae aa that flee,
Fae aa that gyangs bi lan an sea,
Invisible tae aa ye'll be."

Efter thon, Ashley pit the white hare doon in the sna, an it shook itsel a meenit an drew its lang forepaw ower its snawy white lugs, an set aff like the win up the Ben makkin fair fur the sun as it raise ower the showder o the corrie.

"Race ye doon tae Loch Thearlaich," cried Ashley. "We've a salmon tae catch!"

Fur aince, I kent mair than Ashley – aboot the salmon. Auld Syd telt me fin he wis a loon he'd aften guddled fur troot, an salmon war jist like troot, he said, bit bigger. Ower the winter months, they sweem up tae twa thoosan miles fae the cauld sea bree o the Atlantic, back tae the watters o their birth tae breed. The hen salmon, aa twenty pun o her, scoops oot a wee nest, caad a redd, in the bed o the burn an lays her eggs there, 14,000 at a time, fur the cock salmon tae fertilise. Efter thon she dees, her life's wark dane.

Bit Ashley's lang legs tuik her doon the Ben faister nur me, I tummelt twice on skytie ice an gaed heelstergowdie ower in a

pluffert o sna. An it wis Ashley, tae, fa spied the salmon richt at the side o the loch. She'd a wee fleshy fin ahin the dorsal fin, her queer wee fishy een luikit like tin foil, an her tail wis barely wallopin back an fore. She'd traivelled aa thon wye, throwe tides, up linns, lowpin up the laidders o steen an rock that anely a salmon kens, aa thon wye tae lay her eggs far her ain mither laid her wi thoosans o sisters an brithers in the steen cauld peaty bree o deep Loch Thearlaich.

It isna a fecht an a tyauve tae kill a deein fish. I liftit her ooto the watter like she'd bin a log, her mou openin an gapin, her tail hardly movin at aa. Ae crack wi a steen sent the salmon fae this warld tae the neist, an syne Ashley opened a wee penknife an we guttit her, there an then. An jist as the white hare said, there wis the gowden ring, glentin up fae the salmon's wyme, wytin fur me tae wash an dry an slip onno ma wee pinkie finger, like the cook o the *Pride o Aiberdon* hid dane thon time afore.

We didna takk the salmon back tae the bothy, we threw her back tae the loch that hid gaen her birth, an sat thegither a while, oor airms aroon each ither, drinkin in the quaet o the snaw-bun Bens. The quilted anorak that Ned Kirkpatrick hid gaen tae Ashley wis aboot ten sizes ower big, an the cuff-sleeves war frayed. Her gloves war aa pirled wi sna, bit ye could still see that her hauns war slim inside the yalla worsit.

"Ashley," I said. "Fin we ging back tae the Sabban estate, if Jimmy Naseby an Charlie Watson an the Young Tullies bully ye again, I'm gaun tae batter them."

Ashley grinned. Jimmy Naseby's twice my size, a big bap o a loon.

"Donnie," she replied. "If ye dae thon … I'll help ye!"

It wis a lang hurl back fae wir holiday, bit weariet an happy, eventually we wis aa drapped aff at wir hames.

Afore Ashley said cheerio at the door o her flat, we hid a bit news aboot the report that Colleen McGraw wis makkin up aboot me fur the Children's Panel review.

"Naebody's gaun tae takk oor wird agin that o Jimmy an

Charlie – least o aa Mr MacPhail, cause he didna see fit started it, an the rest o the class are aa ower feart tae say dab aboot onythin the Young Tullies dae. We'll jist hae tae hope they pit a fit wrang an get fand oot," she said.

"Mebbe I could use the magic chant tae catch them oot?"

"We dinna ken foo lang it laists," quo Ashley. "Yon's nae a gweed idea ava. Save it till ye really really need it. Joe an me are helpin the Townsleys flit ower the Christmas brakk. Floyd an his fowk hae gotten a shift tae the Hen Hoose, sae I winna see ye again efter Hogmanay. The Carnies are open a few days inno the New Year fur faimlies tae spen their Christmas money on fun! Nae muckle fun fur you an me then tho, Donnie – we'll be helpin Floyd takk money fur the rides!"

Efter Ashley gaed intae her flat, I furled the magic ring aroon ma finger, thochtfu like. Syne I took it aff an slipped it in ma pooch. I'd hae tae think o an excuse tae explain tae my Ma foo I'd come bi it. If I telt her I'd fand it in the street, she'd makk me haun it in tae the police. She's as honest as onybody I ken my Ma, ower honest whiles.

"It'll be fine company haein Donnie at hame wi ye in the flat," I heard a neebor say tae my Ma ae day.

"Ye think so?" said she. "Weel, I dinna ken sae much. I dinna like fitba or snooker, nane o the things he likes on the TV, bit ye hae tae let the young anes see *some* o the things they enjoy, divn't ye noo? Richt eneuch, it's better than comin back tae a teem hoose. Bit ye canna really hae a life o yer ain fin ye've a teenager bidin wi ye aa the time. Demetrius anely cam roon the aince, niver cam back again. I think Donnie wis jealous. He disna seem tae think I should be onythin ither than his mither."

Fin I gaed in, tho, she did seem pleased tae see me. Mebbe it hid bin lanelier than she thocht, bidin hersel up at the tap o the high rise. Fur aince, she let me watch my favourite programmes the hale nicht, an nae a cheep ooto her aboot me gettin suspendit fae school. It wis jist as tho she'd dichtit the slate clean!

January

Christmas an New Year war affa quaet in oor hoose. It bein sae seen efter the daith o Leanne, Ma didna bother wi a tree an cairds an decorations. Her an me walked ower tae Granny Menzies on Christmas Day tae be wi wee Craig. Uncle Terry'd phoned fae Dubai, sae fur aince Granny wis nearly pleasant. I got tae whisk the toppin fur the tap o the trifle an lick the speen, an I even got tae poor brandy ower the plum duff. Granny microwaves her plum duff, she disna makk clooty dumplin nooadays, tho she eesed tae. Fin we pued the crackers at the table afore the bubblyjock wis etten, I made on that the Templars' ring drappit ooto my cracker.

"Oh yon's bonnie. Ye should gie it tae yer Ma," said Granny Menzies.

"It's nae lucky tae pairt wi fitiver faas ooto a Christmas cracker," I leed.

"Fa iver telt ye thon dirt!" she girned.

"Ashley Higgins. An I need aa the luck I can get eenoo," I added.

"Yon's true eneuch," she coontered.

I spent the rest o the efterneen on ma hauns an knees pretendin I wis a shelt, wi wee Craig on ma back.

"He's gweed wi the bairn," said my Ma.

"Better than his Da," quo Granny.

Wee Craig winted tae show aff his toys tae a neebor's bairn roon the neuk. The fowk hid invited Granny roon fur a Christmas dram, an my Ma gaed wi her.

"I suppose the big loon's safe tae leave here hissel?" said Granny Menzies, like I wis the Boston Strangler or Hannibal Lecter.

"Oh ay," said my Ma. "Jist leave Donnie the remote control an a boxie o sweeties an ye winna hear a cheep ooto him aa day."

I wyted till Granny Menzies wis safe ooto sicht, an phoned

the Hame at Newbiggin. Ane o the carewirkers wheeled Auld Syd tae the phone. I couldna wyte tae tell him aboot the white hare an the salmon an the magic ring!

He listened like he ay did. "Min, it's richt fine tae hear yer voice," he said. "Dinna be lang in comin oot tae see me. I've fairly missed ye this last fortnicht ye ken. Takk care o yersel, loon."

Fin I looked at ma watch, I'd bin on the phone hauf an oor. I lose aa track o time fin I spikk at ma Granda Paterson. Granny Menzies widna get her phone bill in fur a whilie. I winnered if it wis cheap rate on Christmas, an decidit I didna care. It wid jist be her Christmas present tae me, seein's she hidna bothered tae buy ane.

Hogmanay was quaeter than Christmas. Ma wis wirkin at the Greek restaurant, bit there wis a disco across at the Community Centre sae I spent a while in there. I kent some o the teenagers, bit nane richt weel, sae I didna bide. Onyroad, I'd tae be doon at the Carnies on New Year's Day bricht an early, tae wirk on the waltzers an the dodgems wi Ashley an Joe an Floyd. I wis beddit an sleepin fin Ma come hame fae her wirk, an oot the door an awa afore she waukened.

The Carnies war really busy the hale day. It's cauld wirkin yonner, ye hae tae wrap up weel, caulder even than climmin the snawy Bens o Braegarr, fur the win wheechs straicht in fae the North Sea up ower the sanny beach an cuts ye in twa like a knife. I hid on twa ganzies an a jaiket, a scarf, mochles an a cap hauled ower ma lugs, forby twa pair o troosers, socks an trainers.

Ashley wis takkin the siller an I wis birlin the waltzers roon an roon an makkin aa the quines skirl. I like daein thon. Quines like the Carnie loons, they flirt wi the showmen. Bit ye maun watch an nae birl littlins ower faist or ye makk them cowk an syne it's me or Floyd or Joe hae tae mop it up! I love the bricht lichts o the Carnies, the skyrie peint, the pop music blarin oot lood an the atmosphere. Aabody's there tae hae a gweed time,

tae enjoy thirsels. I like the candyfloss an the helium balloons, the yoam o the hotdugs an mustard, I like tae see faimlies oot enjoyin themsels. Ae day I'll hae a faimly like that, like the anes I see at the Carnies. Ae day I'd like tae hae bairns, an bring them here fur a treat, an enjoy jist watchin them aa hae fun.

The day fair flew by, an Mr Townsley speired if we'd aa like tae wirk the nicht shift.

"It feenishes late, mind," he said. "It'll be dark bi the time ye're feenished. Bit Ashley an Donnie an Joe, ye can aa three walk hame wi me an Floyd. I canna see ony mugger bein daft eneuch tae takk aa us on!"

The nicht shift's excitin, tae. An aulder crood cam at nicht, nae sae mony wee, wee bairns, mair coortin couples an teenagers. Aboot hauf past ten, we saw a panda car draw up ootside the Carnies. Twa policemen steppit oot ower an cam in fur a wird wi Mr Townsley, lookin gey serious.

"Fit's gaun on?" I speired o Floyd.

"Da says twa loons tried tae rob the manager o the Knossos restaurant, bit a waitress stood up tae them an they panicked an run aff. They war weirin green balaclavas. Ane o them managed tae chore a valuable ornament, a jade bull, wirth a lot in the antique mairket – Cretan, ye ken – an a haunfu o cheenge. The police think the robbers left the scene o the crime rinnin aff in the direction o the Sabban estate, bit aabody's tae be on their guaird, cause they micht still be in the area. They think they bide roon aboot here, they hae local accents, an their age is aroon thirteen tae fifteen year auld."

I phoned hame straicht aff. Ma answered, gey shaky like. A policewummin hid already taen a statement fae her. It wis her fa'd stood up tae them. I offered tae come straicht hame, bit she said nae tae fash masel, that Granny Menzies an Craig war ower, an she wid see me fin I'd feenished my shift.

The Carnies began tae teem as the winter nicht grew caulder an caulder yet. It wis near the eyn o my shift fin Jimmy Naseby an Charlie Watson cam in. They gaed richt up tae Ashley an

shoved her sae hard that she fell an hurtit her side against ane o the carnival shelts on the whirlimagig. I gaed ower tae help her up, an offered tae squar up tae baith o them, bit Jimmy Naseby pulled a knife on me, I catched the glent o't in his haun.

"Come on then," he hissed. "Try me!"

Ashley'd spotted the knife as weel. "Leave it, Donnie," she warned me. "He's coorse eneuch tae use it."

An suddenly, the thocht o the white hare an the ring cam intae ma heid.

"Can ye mind the magic cherm?" I speired o Ashley.

"Ay," she said. "If ye pit on the ring."

I slippit it onno ma pinkie as the twa gang leaders swaggered aff makkin fur the Big Wheel. Ma hauns war cauld an I drappit it first aff an Ashley an me hid tae scrabble aboot on the grun tae pick it up.

Aince I hid it fairly on ma haun, she whispered the magic wirds the hare hid learned her:

"A magic cloud I pit on thee:
Fae fish an fowl, fae aa that flee,
Fae aa that gyangs bi lan an sea,
Invisible tae aa ye'll be."

An fin I luikit doon, the *fith-fath* hid wirked, nae a hide nor hair o me could be seen at aa!

I follaed Jimmy Naseby an Charlie Watson as close as I liked, fur they couldna see me. The anely worry I hid wis I didna ken foo lang the *fith-fath* wid laist. Lang eneuch, I hoped.

"Hae ye still got the jade bull?" Jimmy speired o Charlie.

"Ay. We can sell it alang wi the watch we chored fae Sanjit Rhan. A peety thon mither o Donnie Paterson's made sic a soun, or we'd hae teemed the till. Niver mind. We can settle wi him efter. It's nae as if he'll be lang at Sabban Academy, nae efter hittin MacPhail an brakkin his glaisses."

"Ay, thon wis a bit o luck wis it nae! Nane o the losers in

thon class'll daur clype an say we sterted it. Fa'd believe them against us? My Da could close thon skweel doon if he winted tae, nae danger. He plays gowf wi hauf the toon cooncillors. He could buy an sell the lave if he'd a mind tae. See, fowk ken we've baith got money. They widna think we dae things fur the buzz . . ."

I wis jist burstin tae plowt the pair o them on the neb, bit I held back an as luck wid hae it, they baith sat inno the boddom cheer o the Big Wheel, an lichtit up a fag apiece. There wis naebody at the controls, naebody takkin the siller, naebody bit me. An I wis invisible.

I sterted the motor on the Big Wheel. Up, up up it gaed inno the freezin blaik nicht air o Aiberdon. The tinny music sterted, jinglin in ma lugs. I speeded the Big Wheel up till it fairly flew roon, faister an faister, faister than sheetin stars, faister than rockets, faister than lichtenin . . . an ilkie time that the Young Tullies birled roon, their faces grew whiter an whiter, fair fleggit they war, richt feart. Like twa sick ghaisties, ready tae bock an spew.

Efter I weariet o thon, I pit on the brakes, leavin them strandit richt at the verra tap. An nae a meenit ower seen, fur I noticed ma feet appearin doon on the girse. I nippit ahin a tent till the *fith-fath* wore aff, an then I gaed straicht tae Mr Townsley an telt him that the robbers o the Knossos restaurant an Mr Rhan's paper shoppie on the prom war high an dry at the tap o the Big Wheel, wi a knife an a bull an a watch in their jaiket pooches.

"I canna unnerstauun fit happened tae the Big Wheel. It's niver dane thon afore," said Mr Townsley, as the Young Tullies war hickled inno the panda car. "Weel, Donnie, we've ye tae thank fur makkin the Carnies a safer place tae wirk in. Nae doot thon twa wid hae bin tryin tae rob us next. Foo did ye ken it wis them?"

I telt him I'd overheard the pair o them spikkin, which wisna a lee. The police wrote aathin doon an offered tae gie Ashley an

masel a lift hame. We'd something tae dae first, tho. While they war interviewin the lave o the showfowk, we slippit across the road an gaed doon tae the san.

The sea wis sweeshin bonnily in the meenlicht, siller an blaik it wis, sookin the san. I tuik the ring fae ma pinkie an haived it heich, an a great muckle salmon lowped ooto the cauld North Sea an snappit it up, an awa it gaed tae the foun o the satty deep, tae anither warld.

Fin I got hame, my Ma tuik me inno her bosie an gaed me a cuddle.

"I'm affa prood o ye Donnie," she said. "Ye've nae idea foo prood. An Colleen McGraw will makk gweed use o this fur the Panel. I widna winner the skweel will hae tae makk cheenges ower the wye it's treated puckles o pupils yonner. By the by," she gaed on, "I handit in my notice at the Knossos. I've seen a new job advertised oot the road. At an Auld Fowk's Hame nae far oot o Newbiggin. They say the staff are fine an sae are the pensioners."

"They are," said I, "Newbiggin Academy tuik us roon it aince. If ye land the job there's a man ye should get tae ken. Auld Syd. Jist tell him ye're the mither o the loon."